Cyflwynedig er cof

am Jac y Plow,

a roddodd ysbryd y Beca

i'n teulu ni

Diolch arbennig
– i Ieuan Jones, Heol Newydd, hanesydd lleol Llandeilo, a Heddyr Gregory am lawer o wybodaeth leol.
– i Alun Jones, Llio Elenid ac Anwen Pierce am sawl awgrym, gwybodaeth ychwanegol a chyngor ar y dafodiaith.

Y Prif Deuluoedd

Teulu Tafarn y Wawr, Llangadog

Brython Rees – tafarnwr, perchennog ychydig o gaeau a
chaseg a chart

Tegwen Rees – gwraig y dafarn

Elin Rees – merch y dafarn, 15 oed

Gwyndaf Rees – mab y dafarn, 15 oed

Gwladys Rees – chwaer Brython, a fu farw

Teulu sipsiwn Comin Coed yr Arlwydd

Jorjo Lee – y tad

Mari Lee – y fam

Tom Lee – mab, 18 oed

Anna Lee – merch, 15 oed

Teulu'r Gof, gefail Comin Carreg Sawdde

Llew Lewis – y gof

Dan Dowlais – mab, 30 oed

Teulu Tafarn y Plow, Rhosmaen

Jac Griffiths – tafarnwr a bragwr

Leisa Griffiths – gwraig y dafarn

Ann Griffiths – merch y dafarn, 20 oed

Iori Griffiths – mab y dafarn sy'n gweithio yn stablau'r King's
Head, Llandeilo

Rhedeg yn Gynt na'r Cleddyfau

*Nofel am Ferched Beca yn Nyffryn Tywi,
haf 1843*

Myrddin ap Dafydd

Gwasg Carreg Gwalch

Argraffiad cyntaf: 2021

Rhif Llyfr Safonol Rhyngwladol:
978-1-84527-820-5

CYNGOR LLYFRAU CYMRU

Cyhoeddwyd gyda chymorth Cyngor Llyfrau Cymru

Cynllun clawr: Siôn Ilar
Mapiau: Alison Davies

Cyhoeddwyd gan Wasg Carreg Gwalch,
12 Iard yr Orsaf, Llanrwst, Dyffryn Conwy, Cymru LL26 0EH.
Ffôn: 01492 642031
e-bost: llyfrau@carreg-gwalch.cymru
lle ar y we: www.carreg-gwalch.cymru

Argraffwyd a chyhoeddwyd yng Nghymru

Teulu Tolldy Pont Carreg Sawdde

Seimon Powell – dyn yr het galed a cheidwad y gât

Nona Powell – gwraig y tŷ tyrpeg

Rachel, Mei, Dafy' – y plant

Bwthyn Pont Goch

Edryd Morgan – coedwigwr a gweithiwr ym Melin-y-cwm

Nest Morgan – ei wraig

Cymeriadau eraill

Bishop – stiward stad Plas Newydd Dinefwr

Cyrnol Love – pennaeth dros 2,000 o filwyr yng ngorllewin Cymru yn ystod cyfnod terfysg Merched Beca

Richard Chandler – Rhingyll y Plwyf, swyddog trethi a degwm yr eglwys yn Llangadog

Dylan Lloyd – gohebydd lleol y *Carmarthen Journal*, papur wythnosol Caerfyrddin a'r sir

Thomas Campbell Foster – gohebydd y *Times* o Lundain

Gŵr â'r crafat du – sydd yng nghanol popeth

Prolog

Roedd cloffni'r merlyn gwyn yn gwaethygu.

"Woa, Dicw," meddai Jorjo, oedd yn cerdded wrth ei ochr a'i law ar ei ffrwyn. "Dere inni weld y carn poenus 'na sy 'da ti unwaith 'to."

Wrth ddeall bod eu tad yn plygu dros goes y ceffyl, trodd Tom ac Anna yn eu holau i weld beth oedd yn bod. Roedden nhw wedi hen flino ar y daith araf ac yn ysu i gyrraedd y comin yn y coed.

"Odyn ni'n mynd i gyrraedd Coed yr Arlwydd cyn nos, Tada?" gofynnodd Anna.

"All e fynd mla'n?" gofynnodd Tom, gan ddangos mwy o bryder na'i chwaer am y ceffyl.

"Y bedol 'ma sy wedi dod yn rhydd." Dangosodd Jorjo'r carn i'w fab. "A'th carreg rhwng y bedol a'r carn a chrafu yn erbyn y byw ar waelod y carn ac mae e wedi creu anaf, 'twel. Mae e angen hoe."

"Ond mae hi bron yn nos," meddai Anna.

"Mis gole yw hwn. Dyw hi byth yn nosi'n llwyr yr adeg hon o'r flwyddyn," meddai Mari Lee, ei mam, wrth estyn potel dywyll i Jorjo. "Rho dipyn o olew rhosmari arno fe 'to i'w gadw fe'n lân."

Rhoddodd Jorjo ddafnau o olew yn dyner ar y carn dolurus cyn sythu'i gefn.

"Mae'n well tywydd eleni, diolch i'r drefen," meddai.

"Y'ch chi'n cofio dwy flynedd yn ôl? Roedd afon Sawdde miwn llif fan hyn ac roedd hi'n amhosib croesi'r rhyd. Fe fu'n rhaid inni wersylla ar y comin yr ochor hyn i'r afon."

"Haf gwael," meddai Mari Lee. "Cynhaeaf newyn gafodd y ffermydd y flwyddyn honno."

"Doedd e ddim yr un peth, yn nag oedd e?" meddai Anna. "O, wy wrth fy modd 'da'r coed yna a chael y lle i gyd i ni'n hunen. Dyw e ddim yr un peth i lawr ar waelod y dyffryn, a sawl teulu arall yn gwersylla yno."

"Falle ddim, ond cae y gymdeithas yw comin. Mae'n dda cael cwmni a sgwrs weithie," meddai Mari Lee.

"A stori a chân," ychwanegodd Jorjo gyda gwên nes bod ei ddannedd gwynion yn llachar yn erbyn croen melyn ei wyneb.

"Ond roedd hi'n rhy wlyb ddwy flynedd yn ôl i wneud tân iawn nac eistedd mas yn un criw yn hwyr i'r nos, hyd yn oed," meddai Anna.

"Odyn ni'n iawn i fynd mla'n, Tada?" gofynnodd Tom.

"Gan bwyll, gan bwyll bach," atebodd Jorjo. "Smo ni ymhell o'r rhyd. Gaiff Dicw aros dipyn yn nŵr yr afon i oeri'r carn yna cyn dringo'r allt am y coed."

"Beth am inni ysgafnu tipyn ar y cart?" awgrymodd Mari Lee. "Allwn ni gario'r gist fach, y babell a'r coed cyll. Bydd cart gwag yn sgafnu'r daith."

"Mae Dicw'n ddigon cryf," meddai Jorjo. "Ond falle fod ti'n iawn. Dyw hi ddim ymhell i ni gario'r pethe mwya trwm."

Aeth Jorjo i gefn y cart a thynnu'r gist fach ohoni a'i rhoi ar ei ysgwydd. Cododd Tom garthen y babell a'i chario, a chydiodd Anna yn y coed cyll oedd yn creu ffrâm i'r babell. Cydiodd Mari Lee yn y crochan mawr du a'i roi ar ei braich.

Wedi mynd ymlaen ychydig, cyrhaeddodd y teulu fwthyn Pen-y-bont Sawdde a gallent weld Coed yr Arlwydd ar y llechwedd yr ochr draw i'r afon.

"Ry'n ni mor agos!" meddai Anna. "Allwn ni groesi afon Sawdde fan hyn?"

"Mae'n rhaid i'r cart fynd drwy'r rhyd," meddai Jorjo. "Mae gwely'r afon yn anodd gan fod y rhyd wedi'i gad'el ers codi Pont Carreg Sawdde yn is i lawr."

"Ond mae'n rhaid bod pont fan hyn ar un adeg," meddai Tom.

"Oedd, oedd," atebodd Jorjo. "Ond roedd hi'n un hen iawn. Hynafol a gweud y gwir. A'th hi 'da'r llif mawr flynydde maith yn ôl a do's dim pont wedi'i chodi yma wedi hynny. Ond Pen-y-bont yw enw'r ffarm draw fan 'co ar draws yr afon 'fyd."

"A thrwy'r hen ryd ry'n ni wastod yn mynd," meddai Mari Lee. "Mae gât dyrpeg ar y bont a pholyn arall rhwng Carreg Sawdde a Choed yr Arlwydd."

Ar hynny, clywodd y teulu gorn yn cael ei chwythu. Tri nodyn, a'r un olaf yn cael ei ddal yn hir.

"Dragŵns," meddai Jorjo. "Arhoswch lle'r y'ch chi. Ewch rhwng y cart a'r clawdd ..."

Roedd chwarter milltir o ffordd union yn ymestyn o Ben-y-bont Sawdde i gyfeiriad Llangadog. Yng ngolau olaf yr hwyr, gallai'r teulu weld bod dros ugain o'r Dragŵns mewn lifrai glas tywyll a chapiau uchel, pluog ar geffylau llawer mwy na'r cyffredin wedi ymddangos ar y ffordd o'r pentref. Clywodd y teulu lais cras yn gweiddi gorchmynion, a gweld fflachiadau gloyw'r cleddyfau hirion wrth i'r milwyr eu tynnu o'u gwain.

Gan ddal y rheiny'n ddisgybledig o'u blaenau, daeth y llais cras eto. Dechreuodd y ceffylau garlamu tuag atyn nhw.

"Peidiwch â symud bys," rhybuddiodd Jorjo. "Arhoswch rhwng y cart a'r clawdd. Beth bynnag wnewch chi, peidiwch â cheisio dianc rhag y cleddyfau ..."

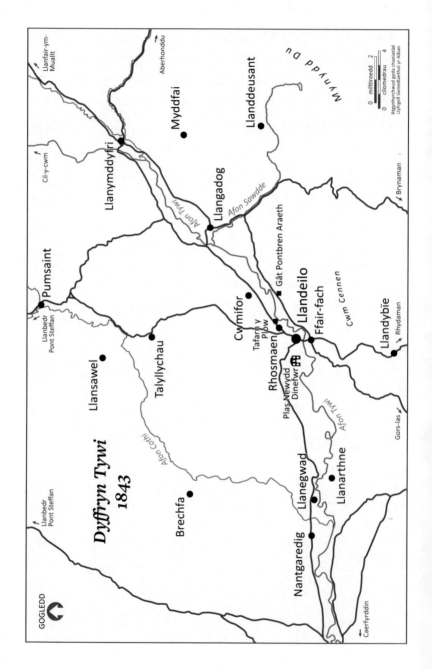

GOGLEDD

Dyffryn Tywi 1843

Llanfair-ym-Muallt

Aberhonddu

Cil-y-cwm

Llanymddyfri

Myddfai

Llanddeusant

Mynydd Du

Llangadog

Afon Sawdde

Llanbedr Pont Steffan

Pumsaint

Llanbedr Pont Steffan

Brynaman

Gât Pontbren Araeth

Cwmifor

Llandeilo

Cwm Cennen

Ffair-fach

Tafarn y Plôw

Rhosmaen

Llandybïe

Rhydaman

Llansawel

Talyllychau

Afon Cothi

Afon Tywi

Plas Newydd Dinefwr

Gors-las

Brechfa

Llanegwad

Llanarthne

Nantgaredig

Afon Tywi

Caerfyrddin

0 milltroedd 2

0 cilomedrau 4

Atgynhyrchwyd gyda chaniatâd Llyfrgell Genedlaethol yr Alban

12

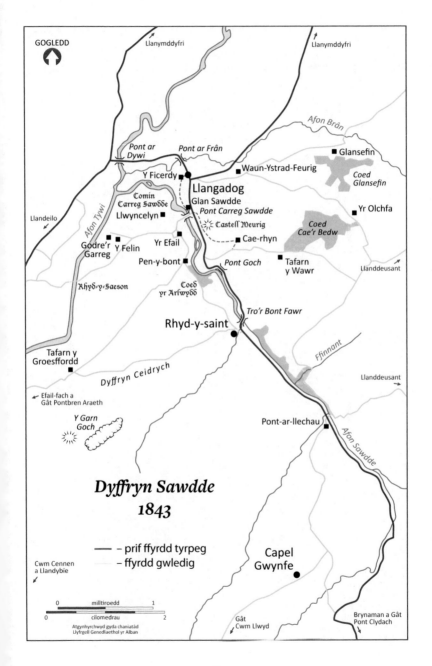

GOGLEDD

Llanymddyfri

Llanymddyfri

Afon Brân

Pont ar Dywi

Pont ar Frân

Y Ficerdy

Glansefin

Waun-Ystrad-Feurig

Coed Glansefin

Llangadog

Comin Carreg Sawdde

Glan Sawdde

Llandeilo

Afon Tywi

Llwyncelyn

Pont Carreg Sawdde

Yr Olchfa

Castell Meurig

Coed Cae'r Bedw

Godre'r Garreg

Y Felin

Yr Efail

Cae-rhyn

Pen-y-bont

Pont Goch

Tafarn y Wawr

Llanddeusant

Rhyd-y-Saeson

Coed yr Arlwydd

Tro'r Bont Fawr

Rhyd-y-saint

Ffinnant

Tafarn y Groesffordd

Dyffryn Ceidrych

Llanddeusant

Efail-fach a Gât Pontbren Araeth

Y Garn Goch

Pont-ar-llechau

Afon Sawdde

*Dyffryn Sawdde
1843*

– prif ffyrdd tyrpeg
– ffyrdd gwledig

Cwm Cennen a Llandybie

Capel Gwynfe

0   milltiroedd   1

0   cilomedrau   2

Atgynhyrchwyd gyda chaniatâd
Llyfrgell Genedlaethol yr Alban

Gât Cwm Llwyd

Brynaman a Gât Pont Clydach

Pennod 1

Doedd yr Uwch-gapten William Parlby ddim mewn tymer rhy
dda. A dweud y gwir, roedd croen ei din ar ei dalcen ers ben
bore.

Ef a'i filwyr ar geffylau – y *4th Light Dragoons* – oedd arwyr
yr helynt yn erbyn Merched Beca wedi iddyn nhw frysio drwy
wres llethol i gyrraedd Caerfyrddin y dydd Llun blaenorol.
Roedd tua phedair neu bum mil o bobl wedi gorymdeithio
drwy brif strydoedd y dref honno o dan faner gyda geiriau
Cymraeg am ryw nonsens fel 'Cyfiawnder' arni.

Y diwrnod hwnnw, roedd yr Uwch-gapten a'r Dragŵns
wedi carlamu o Cross Hands ar ôl i negesydd ruthro i'w
cyfarfod i ddweud bod y werin yn ymosod ar dref
Caerfyrddin. Pan gyrhaeddon nhw'r dref, roedd ei strydoedd
culion yn llawn pobl ac roedd heidiau'n ymosod ar y wyrcws
gan alw'r adeilad tywyll yn 'Bastîl'! Beth fyddai'n digwydd
nesaf – torri pen y frenhines a'r teulu i gyd? Roedd y giwed
yma cyn waethed â'r dorf farbaraidd ym Mharis adeg y
Chwyldro Ffrengig! Ond fe wnaeth dur cleddyfau noeth y
Dragŵns eu hoeri nhw yng Nghaerfyrddin. Roedden nhw'n
rhedeg am y wlad drwy'r caeau a'r gwrychoedd cyn pen dim.

Ond fethon nhw â dal y gwalch â'r wig melyn oedd yn
gwisgo dillad merch ar gefn y ceffyl gwyn. Hwn oedd yn cael
ei alw'n 'Beca' oedd yn arwain y cyfan. Hwn oedd wedi'i wisgo
fel hen wraig ac yn mynd â thorfeydd o'i 'ferched' gydag e i

falu gatiau'r tollbyrth â gordd a bwyell a thân. Hwn a fyddai yn Llanfihangel-ar-arth un noson, yn Sanclêr ychydig wedyn, yn Aberteifi ar ôl hynny, cyn taro'n annisgwyl mewn pentref gwledig yn rhywle arall o fewn dim wedyn. A hynny gyda dau neu dri chant yn ei ddilyn bob tro! Fe ddylai fod yn dasg ddigon rhwydd dod ar draws ciwed mor fawr â hynny oedd yn gwneud eu drygioni yn hollol agored, a'u sŵn tanio drylliau a gynnau a chyrn aflafar. Dal hwnnw ar y ceffyl gwyn oedd eisiau a rhoi ei ben mewn rhaff. Dim nonsens.

Wel, o leiaf fe gafwyd rhywfaint o waed ar y llafnau hir, camog yng Nghaerfyrddin. Roedd cleddyfau'r Dragŵns yn torri drwy ddillad a chnawd fel petaen nhw'n ddarnau o bapur. Sdim amheuaeth, meddyliodd William Parlby, fod y pyllau gwaed ar y stryd yn dod â thyrfa wallgof at ei choed yn fuan iawn.

Ond roedd yr un ar y ceffyl gwyn wedi'u casglu at ei gilydd a rhoi digon o haearn yn eu gwaed iddyn nhw ymosod ar lidiart arall – y noson honno! A hwythau'n gwybod bod hanner cant o filwyr ar geffylau chwim gyda chleddyfau marwol yn lletya yng Nghaerfyrddin.

Yna am bedwar o'r gloch y prynhawn canlynol, roedd byddin Beca wedi ymgasglu mewn pentref yn ymyl Sanclêr. Gefn dydd golau! Roedd hi yno, wrth gwrs, ar ei cheffyl gwyn, mewn dillad gosgeiddig, a'r noson honno chwalwyd i'r llawr y gatiau oedd ar ddeupen Sanclêr. Am ddeg awr, roedd hi'n reiots yno – a ble'r oedd y gorchymyn i'r Dragŵns ymosod? Ond yr un pryd, roedd criwiau eraill yn chwalu gatiau yn Nantgaredig ac ar bont Dryslwyn, ugain milltir i ffwrdd.

Roedd hi'n amlwg bod angen mwy o filwyr i gael trefn ar

wlad mor ddilywodraeth. Ddydd Gwener diwethaf, cyrhaeddodd Cyrnol James Frederick Love a chant a hanner o filwyr traed dref Caerfyrddin gan letya yn y wyrcws. Penodwyd y Cyrnol Love yn gadfridog ar yr holl filwyr yn ardal y terfysg, gan gynnwys catrodau yn Noc Penfro, Aberteifi, Castellnewydd Emlyn, Sanclêr a Chaerfyrddin – dros naw cant o filwyr. Ac mae sôn am ddyblu hynny'n fuan. Dyna'r unig ffordd o sicrhau heddwch – gwnewch le i'r fyddin a rhowch rwydd hynt iddi.

Ond beth wnaeth Cyrnol Love heddiw? Ei yrru ef a hanner ei farchogion i fyny Dyffryn Tywi, o bobman. Roedd rhyw Gyrnol Trevor yn ofni y byddai ei blasty mawr ar stad Dinefwr yn darged i wraig y ceffyl gwyn a'i phlant afreolus. Ond doedd dim siw na miw i'w glywed wrth iddyn nhw gyrraedd Llandeilo a chael tipyn o luniaeth yn y Cawdor Hotel. Roedd Love wedi anfon ei filwyr gorau ymhell o faes y gad – ac nid dyna oedd ei diwedd hi.

"Ymlaen wedi hynny am Lanymddyfri a chroesi Pont ar Dywi i Langadog." Dyna'r gorchymyn a gawsai'r Dragŵns. "Cadwch lygad ar y ffordd o'r pentref i'r Mynydd Du – mae llawer o gatiau yn yr ardal gan fod dipyn o drafnidiaeth dros y Mynydd Du i ffermwyr gogledd y sir."

A dyma nhw yma, yng nghanol y dyffryn heddychlon hwn. Seinio'r corn wrth nesu at Bont ar Dywi a gweiddi "Open the gate for her Majesty's Dragoons!" Yr unig gyffro a welodd y milwyr oedd ceidwad y gât wedi dychryn am ei fywyd ac yn rhedeg nerth carnau i'w hagor, cyn bowio'n isel o flaen y meirch a'r milwyr.

Clywodd y pentrefwyr yn eu tai sŵn carnau'n curo'r cerrig

ar y ffordd dros y dolydd, dros bont afon Brân a heibio'r eglwys i'r sgwâr wrth dafarn y Castell. Aeth y dynion ymlaen ar eu hunion wedyn i fyny Dyffryn Sawdde a chyrraedd gât arall cyn cyrraedd y bryn lle safai Castell Meurig. Seinio'r corn eto a llais cras yr Uwch-gapten yn gorchymyn:

"Open the gate for her Majesty's Dragoons."

Yr un ymateb eto. Ymlaen. Tro graddol yn y ffordd ac yna chwarter milltir o ffordd syth.

Beth a welai'r Uwch-gapten yn y pellter? Craffodd eto ...

"By jove! A white horse ... Draw your swords! Charge! Charge!"

Carlamodd y meirch dros y chwarter milltir o hewl mewn ychydig eiliadau, gyda braich dde pob milwr wedi'i hymestyn ymlaen i'r eithaf, a llafn hir pob cleddyf yn barod i drywanu.

Safodd Jorjo a'i deulu fel delwau. Aflonyddodd Dicw'r merlyn gwyn, ond daliodd ei berchennog ei afael yn dynn yn ei ffrwyn. O fewn dim, roedd clawdd o gleddyfau wedi cau am deulu'r sipsiwn.

Sylweddolodd yr Uwch-gapten ar ei union nad hwn oedd y ceffyl gwyn a'r dillad merched roedd yn eu hela. Ond nid oedd am adael i hynny beri ei fod yn colli'i wyneb. Dechreuodd holi'r teulu'n ffyrnig.

"What are you doing on a highway at this time of the night?"

"Long day," ceisiodd Jorjo esbonio'i hun gorau y medrai. "Long siwrnai. Over hills."

Pwyntiodd tua'r bryniau draw am flaenau Dyffryn Tywi. Roedd y teulu wedi bod yn ffair geffylau Llanybydder rhyw fis yn ôl ac wedi gwerthu'r hen ful a phrynu merlyn am y tro cyntaf erioed. Merlyn eithaf cryf hefyd, ond ymhell o fod yn agos at faint ceffylau'r fyddin, wrth gwrs. Roedden nhw wedi crwydro ar hyd eu hoff lwybrau ac aros yn eu hoff lecynnau – dros Fynydd Pencarreg i Rydcymerau; dilyn ffyrdd y porthmyn wedyn a chadw at y tiroedd uchel dros Fynydd Llansadwrn am Gil-y-cwm. Osgoi ffyrdd Llanymddyfri – ar wahân i ddiwrnod y ffair – a dod dros ysgwydd Mynydd Myddfai i gyfeiriad Llanddeusant a thros y rhosydd am Langadog. Ond doedd Jorjo ddim am ddechrau esbonio hyn i gyd wrth yr Uwch-gapten.

"Where are you heading?"

Pwyntiodd Jorjo at y coed yr ochr draw i'r afon, heb fod yn fanwl iawn.

"Comin," meddai. Roedd y gair hwnnw'n cadarnhau fod ganddyn nhw ryddid i fynd yno ac roedd y tinc hwnnw i'w glywed yn ei lais.

"Some sort of a gyppo gathering, is it?" Roedd yr Uwch-gapten wedi cael cip ar y ceirt a'r merlod a'r teuluoedd yn gwersylla ar y comin dros Bont Carreg Sawdde wrth garlamu. Doedd dim modd osgoi'r dirmyg yn ei lais.

"Llandeilo fair. Three days," meddai Jorjo.

"Just what we want," wffiodd William Parlby. "Another excuse to go wild in the town. Sheath your sabres, soldiers. Fall back in order."

Tra oedd y marchogion yn trefnu'u hunain yn fintai fesul dau, trodd yr Uwch-gapten yn ôl at y teulu.

"It's obvious you don't belong here, but you could be useful while you're on my patch. You will have heard about Rebecca. There is a fifty-pound reward for information that will lead to a conviction of any one connected in any way with these atrocities. Fifty pounds! You could buy a real horse and a real cart with that, and the whole family could live like kings for years!"

"Yes ..."

"Yes – SIR," cyfarthodd y swyddog.

"Yessir."

"Remember – keep your eyes open when you're out poaching during the night. Oh, I know what your lot are up to. Don't withhold information from the authorities. I'll be watching you. Keep your eyes peeled and your nose clean – if that's possible at all to you people."

Ar hynny, trodd pen ei farch du ac arweiniodd ei filwyr i fyny Dyffryn Sawdde.

"Gwg du ar farch du," meddai Mari Lee.

"Drwy'r rhyd," meddai Jorjo, a cherddodd y pedwar am yr afon heb air pellach.

Camodd y tad i'r llif o flaen Dicw ac yna troi i annog y ceffyl i'w ddilyn.

"Tom, saf di wrth un olwyn y cart a bydd yn barod i'w throi i roi 'chydig o bwysau o'r tu ôl i helpu Dicw i'w thynnu. Mari ac Anna – gwnewch chi'r un peth ar yr olwyn arall."

Oedodd y merlyn gwyn cyn rhoi'i droed flaen boenus yn y dŵr, ond gydag anogaeth Jorjo mentrodd yn ei flaen. Gadawodd iddo yfed o'r lli yn gyntaf. Yna, safodd Jorjo yn union o'i flaen gan osgoi edrych yn syth i fyw ei lygaid. Daliodd ei ben i lawr a gwthiodd ei dalcen bob hyn a hyn i ochr pen y ceffyl, ond gan sibrwd geiriau tyner a'i dynnu'n araf ymlaen tuag ato gerfydd ei ffrwyn. Cerddodd Jorjo wysg ei gefn wrth i Dicw fagu hyder, ac er bod y dŵr yn rhoi ias drwy'i friw, daliodd y merlyn gwyn i roi camau bychain yn ei flaen.

"Nawr 'te, rhowch bwysau y tu ôl i'r olwyn ... ac un cam arall, Dicw ... a dyma ni'n dod."

Cerrig oedd gwely'r afon. Cerrig coch ac roedd wyneb amryw ohonyn nhw'n ddigon garw, er iddyn nhw fod yn y dŵr ers pwy a ŵyr pryd. Byddai cerrig llyfn wedi bod yn beryglus i'r ceffyl a'r llwyth. Diolch byth am gerrig afon Sawdde, meddyliodd Jorjo. O gam i gam, daethant i ganol yr afon. Doedd y dŵr ddim yn uwch na'u pengliniau ond roedd yn llifo'n gyflym ac roedd yn rhaid canolbwyntio ar bob cam.

Ymhen dim, roedd y pedwar ohonyn nhw, y ceffyl a'r cart yn ddiogel ar ddôl Pen-y-bont. Aeth y teulu'n dawel gyda glan yr afon ac yna tua'r ffordd oedd yn dringo allt Coed yr Arlwydd.

"Tom, cer â'r stên ddŵr a'r crochan o'n blaenau ni. Fe fyddwn yn ara' deg ar y rhiw. Wyt ti'n cofio lle ma'r ffynnon?"

"Cornel ucha'r llannerch, lle mae'r llwyni helyg."

"Da wyt ti, Tom. Cerdda dithau yn dy fla'n, Anna, a cher â ffrâm gyll y babell i'r llannerch fach ..."

"Ddo' i gyda ti," meddai Mari, gan godi'r garthen o freichiau ei gŵr a'i rhoi ar ei hysgwydd. "Fe fydda inne'n falch o weld ein Comin Ganol Haf ni."

Pan gafodd ei adael gyda'r merlyn a'r cart ar y rhiw, clywodd Jorjo dri nodyn yn seinio eto yn uwch i fyny'r dyffryn cul a choediog.

"Gât Pont-ar-llechau," meddai'r sipsi. "Mae'r milwyr yna'n mynd yr holl ffordd lan at gatie'r Mynydd Du i wneud yn siŵr nad yw Merched Beca ar gerdded heno."

Pan gyrhaeddodd y gŵr a'r merlyn y llannerch, roedd tân ynghyn, y mwg yn codi a siâp go dda ar y garthen dros ffrâm y ffyn cyll.

Draw ar ochr arall y dyffryn, roedd brawd a chwaer yn cerdded gartref i fyny'r llwybr drwy'r caeau ar ôl ymweld â'u cymdogion ym Mwthyn Pont Goch. Trodd y ddau i edrych ar yr olygfa o'r llechwedd a sylwi ar ruban o fwg glas yn codi uwch brigau Coed yr Arlwydd.

"Maen nhw'n ôl," meddai hi wrth ei brawd.

Pennod 2

"Shwt oedden nhw ym Mwthyn Pont Goch neithiwr?" holodd y tad wrth y bwrdd brecwast drannoeth.

"Edryd Morgan mas ar y clos ac yn gweud ei fod am ddechre lladd gwair yr wythnos nesa," meddai Elin.

"Ond roedd e'n hoblan fel brân un go's oboutu'r lle," meddai Gwyndaf, ei gefaill. "All e byth fynd mas i w'itho yn y caeau gyda'r bladur."

"Na, dyw e ddim cwarter iach," cytunodd Elin.

"Ro'dd e'n pallu'n lân â chadw'i go's lan ac yn llonydd pan oedd angen iddo wneud hynny," meddai Gwyndaf.

"Mae e'n talu'r pris heddi," meddai Brython Rees eu tad. "Dyw torri asgwrn y go's ddim yn beth i whare 'dag e."

"Ond do'dd 'da nhw neb i'w helpu ac ro'dd gwaith yn galw," esboniodd Elin. "Wy'n poeni am Nest Morgan 'fyd. Mae hi'n gofidio na fydd e'n cael ei waith yn ôl yn y felin goed. Ro'dd hi'n gweud bod Chandler, wedi bod yno pwy ddiwrnod yn holi am arian y degwm a threth y plwyf. Chi'n gwbod shwt ddyn yw hwnnw."

Swyddog lleol yr eglwys oedd Richard Chandler. Ef oedd yn llenwi pwrs y plwyf.

"Roedden nhw fod i dalu'r eglwys yn y gwanwyn," meddai Gwyndaf. "Ond ym mis Mawrth ca'th e'r ddamwain ..."

"Ro'dd 'da nhw rent y bwthyn i'w dalu i'r stad y mis hwnnw 'fyd," ychwanegodd Elin. "Maen nhw'n dala i grafu c'inioge i geisio setlo hwnnw, medde Nest."

"O'r mowredd," meddai'u tad. "Buon nhw'n bwrw'u bola o ddifri o'ch bla'n chi, felly! Ddim fel y ddou yna i achwyn ar eu byd."

Edrychodd ar yr efeilliaid yr ochr arall i'r bwrdd a gweld bod y ddau yn teimlo i'r byw dros gwpwl Bwthyn Pont Goch.

"Dyw pethe ddim ymhell o fynd i'r pen arnyn nhw," meddai Elin yn ddwys.

Bu saib wrth y bwrdd brecwast yn Nhafarn y Wawr. Yno yn y gegin, roedd yr haul eisoes yn eithaf uchel yn yr awyr ac yn taro ar y ffenest ar wyneb yr hen dafarn. Roedd honno ar ysgwydd bryn uwch Dyffryn Sawdde ac yn wynebu'r dwyrain, tua'r Mynydd Du a hen ffyrdd y porthmyn am Fynydd Epynt. Hon oedd y dafarn olaf am filltiroedd, ac o fis Awst ymlaen byddai'n boblogaidd ymysg y gyrwyr fyddai'n cerdded gyda'r gwartheg a'r defaid o Ddyffryn Tywi a gorllewin Cymru dros Glawdd Offa i farchnadoedd Lloegr. Roedd gan y dafarn dri chae gwair; byddai'r rheiny'n cael eu cynaeafu cyn hir yn borthiant i'r anifeiliaid hynny fyddai'n aros yno dros nos cyn anelu am y tir uchel. Roedd hen sgubor ar y clos i'r bois fyddai'n cynorthwyo ar y daith. Gwely yn llofft y dafarn a gâi'r porthmon bob tro, wrth gwrs.

"Mae teulu'r Lee yn eu holau yng Nghoed yr Arlwydd," meddai Elin mewn cywair sioncach.

"Welson ni fwg eu tân nhw yn hwyr neithiwr," meddai Gwyndaf.

"Ffair Lland'ilo," meddai Brython. "Dy'n nhw byth yn colli honno. Fydd mynd ar y basgedi cyll, siŵr o fod."

Bob Tachwedd, byddai'r hen deulu'n galw heibio Coed yr Arlwydd i dorri brigau cyll a'u plygu'n asennau basgedi roedd angen dwy law i'w cario. Yna cyn y ffair, byddent yn torri gwiail ifanc i'w plethu i greu gwaelod ac ochrau i'r basgedi crynion ar gyfer codi tato a chasglu ffrwythau a chario dillad.

Ar hynny, daeth Tegwen Rees i mewn gyda basgedaid o wyau.

"Be sy mla'n 'da chi'ch dou heddi 'te?" holodd.

"Awn ni lawr i weld Tom ac Anna i roi help llaw gyda'r basgedi, siŵr o fod," meddai Elin.

"Ody'r sipsiwn 'nôl yn barod?" gofynnodd eu mam.

"Bydd digon o waith inni heddi i'w helpu nhw i dorri'r gwiail," meddai Gwyndaf.

"Ody dy dad moyn ti? Wyt ti wedi gofyn iddo fe?"

"Do's dim llawer yn galw yma heddi," meddai Brython Rees yn bwyllog. "Cliro'r seler a chodi'r casgenni gwag i'r cart. Byddwn ni'n hôl stoc newydd oddi wrth Jac y Plow ar y ffordd yn ôl o'r ffair ddydd Mercher. Gaiff y gwair sefyll tan ddiwedd yr wythnos."

Gyda thymor y cynhaeaf o'u blaenau ac yna brysurdeb y porthmyn, byddai Tafarn y Wawr yn bywiogi unwaith eto.

"O!" meddai Elin yn sydyn. "Welson ni gatrawd o filwyr ar geffyle yn mynd heibio Bwthyn Pont Goch neithiwr."

"Dragŵns," meddai Gwyndaf.

"Smart, wy'n siŵr!" meddai Tegwen Rees. "Pa liw oedd yr iwnifforms?"

"Glas," atebodd Gwyndaf. "A digon o gleddyfe a gynne 'da nhw i ddechre rhyfel."

"Glywon ni eu corn nhw'n canu yn uwch i fyny'r cwm," meddai Elin.

"Cadw llygad am Beca, do's dim dou," meddai Brython Rees.

"Ond do's dim byd fel hynny y ffordd hyn," meddai Elin.

"Ofon maen nhw," meddai Gwyndaf.

"Y ni ddyle fod yn ofnus," meddai Tegwen. "Smo'r milwyr hyn yma i whare plant. Wel, 'na fe – gobeitho y bydd hyn yn rhybudd i rywrai ..."

"Pwy felly?" holodd Elin.

"O, fydd rhai yn ddigon parod i gael eu gweld yn codi trwbwl ac am fod yn geffyle bl'an, paid ti â phoeni dim," atebodd ei mam.

"Pwyllo sydd ei angen nawr," meddai Brython. "Bu bron iddi fynd yn ymladdfa yng Nghaerfyrddin."

"Roedd dipyn o waed yn llifo yno, glywes i," meddai Gwyndaf. "Roedd cleddyfe'r milwyr yna ar eu meirch yn tasgu i bob cyfeiriad a doedd dim gwahaniaeth 'da nhw pwy oedd yn cael ei drywanu. Dim ond lwc oedd hi mai dim ond un gŵr gâth ei anafu'n dost ..."

"Wel, 'na fe 'te. Smo ni moyn gweld golygfeydd tebyg i hynny ffordd hyn, y'n ni?" mynnodd ei fam.

*   *   *

Croesodd Elin a Gwyndaf afon Sawdde dros bompren wrth fwthyn Pont Goch. Nid oedd Edryd Morgan o gwmpas y clos y bore hwnnw.

Daeth y ddau i gae Cefn y Coed oedd uwch llawr y dyffryn ac wedi'i warchod gan lwyni trwchus o goed. Ar draws y cae roedd allt o goed yn eu hwynebu – comin Coed yr Arlwydd. Ar ôl camu dros foncyffion oedd wedi cwympo yn ystod stormydd y gaeaf, daeth yr efeilliaid yn y diwedd at lannerch wastad. Roedd pabell to crwn wedi'i chodi dan gysgod derwen ac o'i blaen roedd tân o dan y crochan du. Safai'r cart yn ymyl, gyda'r gorchudd wedi'i dynnu oddi arno a thomen o asennau basgedi o bob maint wedi'u gosod yn daclus ynddo.

"A! Gobeithion mawr Tafarn y Wawr!" Roedd gwên yn y cyfarchiad gan Mari Lee.

"Bore da, Mari! Braf eich gweld chi 'to!" meddai Elin. "Gawsoch chi deithie da? A ble ma pawb!"

"Yr un hen Elin a'i chwestiynau!" chwarddodd Mari. "Fe brynson ni ferlyn gwyn yn Llanybydder – ond mae ganddo fe garn dolurus. Mae Jorjo wedi mynd â fe i lawr i efel Llew Lewis ar gomin Carreg Sawdde ers ben bore."

"Ody Anna Lee o gwmpas?" holodd Gwyndaf.

"Mae hi a'i brawd yn torri coed cyll."

"Awn ni i roi help llaw 'te," meddai Gwyndaf.

"Ddim cyn i chi gael blasu'r cawl sy 'da fi ar y tân," meddai Mari. "Peidiwch byth â phaso crochan llawn."

"Ddown ni'n ôl am hwnnw nes mla'n," meddai Gwyndaf.

Roedd Tom ac Anna yn torri gwiail main y flwyddyn cynt o fonion y llwyni cyll yn uwch i fyny'r llechwedd.

"Beth wyt ti isie i fi neud?" gofynnodd Elin i Tom, ar ôl iddyn nhw gyfarch ei gilydd a holi'u hynt a'u helynt ers yr haf diwethaf.

"Tyn di'r dail â'r gyllell fach, fel ti'n 'i wneud bob blwyddyn," meddai Tom wrthi. "Falle y gall Gwyndaf helpu Anna."

"O, dwi'n siŵr y gwnaiff e!" Roedd mwy nag awgrym yn llais Elin.

Aethant ati'n ddygn, ond doedd dim taw ar y sgwrsio er hynny.

"Gawson ni gleddyfe o dan ein trwyne neithiwr," meddai Anna. Aeth yn ei blaen i adrodd yr hanes yn ddramatig.

"Roedd e'r *top brass* yn meddwl yn siŵr ei fod e wedi dala Beca ei hunan!" meddai hi ar ddiwedd ei stori. "Roedd e, siŵr o fod, yn gweld medal fowr arall yn ca'l ei dodi ar ei frest a phluen goch yn ei hat. Ond dim ond hen sipsiwns bach tawel a Dicw oedd yna yn y diwedd."

"Doeddet ti ddim yn wherthin fel'na neithiwr!" tynnodd Tom arni. "Roedd y pengliniau yna'n cnoco fel sŵn pedolau ar ffordd garreg pan ddaethon nhw amdanon ni."

"O, druan â ti, Anna," meddai Elin. "Welson ni nhw'n pasio Bwthyn Pont Goch. Roedden nhw wedi tawelu erbyn hynny – ond wy'n siŵr eu bod nhw'n frawychus wrth eu gwaith."

Aeth y sgwrs ymlaen am deithiau'r sipsiwn a'r modd roedden nhw'n gorfod cadw at lwybrau uwch ac uwch ar y bryniau, croesi afonydd lle nad oedd pontydd a mynd ar draws caeau weithiau er mwyn osgoi tollbyrth.

"Maen nhw'n rhoi polion a chadwyni ar draws mwy a mwy o ffyrdd croesion erbyn hyn," meddai Tom. "Nid y talu ar y priffyrdd yn unig sy'n digwydd, ond codi tolle ar bob ffordd wledig o gwmpas pob tre a phentre."

"A'r rheiny'n ffyrdd tyllog," meddai Gwyndaf.

Rhwng y trin a'r trafod, cynyddodd y beichiau o wiail.

"Mae digon 'da ni i fynd â nhw at Mam fel y gall hi ddechrau plethu nawr," meddai Anna.

"Allwn ni fynd lawr at yr afon i dorri helyg melyn wedyn," meddai Tom. "Mae Mam yn hoffi gorffen crib y basgedi 'da'r rheiny."

Doedd Jorjo a Dicw ddim yn eu holau o efail Comin Carreg Sawdde pan aeth y pedwar â'r beichiau at y babell. Wedi powlennaid o gawl bob un, aeth y bobl ifanc at goed helyg yr afon. Roedd hi'n ganol y prynhawn ar y beichiau hynny'n cael eu cario at Mari Lee.

"Dy'n nhw byth yn ôl," meddai hithau. "Dyw e ddim mor hir â hyn yn yr efel fel arfer. A dyw hi fawr o daith yno."

"Ry'n ni wedi torri digon am heddi," meddai Tom. "Awn ni lawr i'r comin i weld be sy mla'n."

"Well inni gadw at lwybr yr afon?" holodd Anna.

"Na, na – ry'n ni'n iawn i gerdded ar hyd y ffordd," meddai Gwyndaf. "Ry'n ni ar droed, felly fe fydd ceidwad y gât ar waelod allt Coed yr Arlwydd yn ei hagor i ni am ddim."

"Fyddwn ni fel teulu brenhinol!" meddai Elin.

"Neu'r Dragŵns," meddai Tom.

Pennod 3

Roedd Dicw'r merlyn wedi'i rwymo y tu allan i'r efail pan gyrhaeddodd y pedwar Gomin Carreg Sawdde. Gan fod yr efail yn wynebu'r hewl o'r coed, roedd yn hawdd ei weld o bellter. Ond wrth agosáu ato gwelodd y criw fod y goes oedd â briw ar ei charn wedi'i rhoi mewn bwced mawr dwfn. Roedd hwnnw wedi'i glymu wrth y ffrwyn fel nad oedd y merlyn yn gallu codi'i goes ohono.

"Dŵr y gof," esboniodd Tom. "Mae harn yn y dŵr lle bydd y gof yn oeri'r metel ac mae hwnnw yn gwella pob math o ddrwg yn y cnawd."

"Defed ar y croen," meddai Gwyndaf. "Wy'n cofio dod yma gyda Dad i drin y rheiny yn grwt. Roedden nhw'n duo yn y diwedd ac yn cw'mpo bant!"

"Hyfryd!" chwarddodd Elin. "Hoffi'r darlun yn fawr!"

"Wel, a tithe," atebodd ei gefaill. "Roedd 'da ti fwy o ddefed na fi, os cofia i'n iawn."

"Ond lle mae Tada?" holodd Anna.

Roedd hanner uchaf drws yr efail yn agored ond roedd hi'n dywyll iawn y tu mewn. Rhoddodd Tom ei ben dros hanner isaf y drws.

"Do's dim tân yn yr efel," meddai. "Dyw Llew Lewis ddim wrth ei waith 'ta p'un."

Safodd Gwynfor wrth ei ochr. Roedd lludw oer yn y lle tân ac arogl huddygl yn dew yn yr awyr. Edrychai popeth yn ddu.

Roedd hyd yn oed cerrig y waliau oedd wedi'u gwyngalchu yn dal haenau o lwch tywyll. Roedd ar fin troi i adael pan glywodd sŵn lleisiau'n codi.

"Tada yw un o'r rheina," meddai Tom.

"Ewn ni miwn 'te," meddai Anna gan roi gwthiad i hanner isaf y drws a cherdded heibio'r engan a'r arfau mawr oedd ar ganol y llawr. Yn y cefn, roedd drws yn arwain at stabal yr efail. O'r fan honno y deuai'r lleisiau. Gwthiodd Anna'r drws draw oddi wrthi a gweld bod ei thad â'i gefn ati yng nghwmni'r gof. Jorjo oedd yn siarad.

"Dyna glywes i yn ffair Llanybydder, Llew. All Twm Carnabwth ddim rhoi tro'd y tu fas i ddrws ei fwthyn yn Sir Benfro nad yw'r cwstablied Llunden 'na sy 'da nhw yng Nghaerfyrddin yn clywed amdano. Mae'r wlad yn llawn ysbïwyr. Mae arian mawr am wybodeth ac mae pawb yn gwybod taw Twm oedd y Beca pan whalon nhw'r gatie cynta hynny yn yr Efail-wen a Sanclêr bedair blynedd yn ôl ..."

"Felly, os nad Twm Carnabwth yw'r Beca y tro hyn, pwy yw e?" holodd y gof. "O, dy groten di yw hon, Jorjo? O's rhywbeth yn bod ar fy llyged i, neu a yw hi wedi tyfu'n ferch ifanc yn barod!"

"Ie, dere miwn, Anna," meddai'i thad. "O, ac mae 'da ti gwmni."

Daeth y pedwar i mewn i stabal yr efail.

"Siarad am Beca y'ch chi?" gofynnodd Gwyndaf.

"Pwy sy ddim?" meddai Llew. "Dyna i gyd yw hi ers bod pethe wedi twymo ffordd hyn. A'th hi'n ddistaw ar ôl y whalu cynta hynny yn y gorllewin. Ond ers dechre'r flwyddyn 'ma, mae gwlad Beca wedi tyfu."

"Roedd hi yng Nghydweli fis Mawrth ac yn Hwlffordd fis Ebrill," meddai Gwyndaf. "Wy'n cofio porthmon o'r gorllewin yn sefyll 'da ni ac yn rhoi'r hanes i gyd inni."

"Roedd Beca yng Nghastellnewydd Emlyn a Sanclêr ar yr un pryd," ychwanegodd Jorjo. "Ffarmwr yn Llanybydder oedd yn sôn am y peth – bob amser â gwallt llaes melyn a dillad menyw eitha crand a cheffyl gwyn."

"Ond ife'r un un yw hi?" gofynnodd Llew.

"Y'ch chi'n credu bod mwy nag un yn bodoli?" gofynnodd Elin.

"Ond un oedd yng Nghaerfyrddin, pan dda'th pawb at ei gilydd," meddai Anna.

"Ac roedd hi'n hollol agored yng ngolau dydd, mae'n debyg," meddai Llew. "Do's dim ofon y Dragŵn na'r diafol arni hi."

"Y'ch chi'n gwybod beth wy'n ei feddwl?" meddai Jorjo. "Wy'n credu mai un Beca sydd, ond bod llawer o ferched ganddi – a Beca yw enw pob un ohonyn nhw!"

"A gobeitho na chaiff yr un ohonyn nhw ei dala byth!" meddai Llew. "Ond ti'n iawn, Jorjo – un Beca sydd a wy'n credu taw ysbryd rhyddid yw hi. Mae'n cyffwrdd â phobol ac yn eu llenwi nhw â nerth i ymladd yn erbyn y pethe sy'n anghyfiawn yn y byd 'ma."

Clywodd y criw glep hanner isaf drws allan yr efail. Wrth godi'u golygon, gallen nhw weld cysgod tywyll yn cerdded drwy'r gweithle ac yna ymddangosodd gŵr llydan rhyw ddeg ar hugain oed yn nrws y stabal. Roedd ganddo wallt fflamgoch a chraith haearn poeth o dan ei glust chwith, ac roedd yn hawdd ei adnabod yn lled-dywyllwch y stabal. Dan, mab Llew Lewis y gof oedd e.

"Ho, ac mae llond y lle ond do's dim tân yn yr efel!" meddai Dan. "Wy'n treulio teirawr yn y felin wlân ac mae'r efel yn dod i stop! "Ti sy biau'r merlyn gwyn, Jorjo?"

"Ie, fe sy biau fe," atebodd Llew. "Ac mae digon o dân yn y sgwrs, iti ga'l deall. Wy'n credu y galli di roi cynnig ar gerdded co's y merlyn yna nawr, Jorjo."

Cododd y gof a sgwario'i ysgwyddau.

"Oedd Bob y Felin yn galler gwitho'r peiriant wedyn 'te, ar ôl iti roi'r olwyn newydd iddo fe?"

"O'dd, o'dd," atebodd Dan. "Mae hi'n swnllyd yr yffarn yno cofia, ond mae'r gwlân yn troi'n edau fel y boi nawr."

Aeth Dan at y fegin wrth simnai fawr yr efail i ddechrau rhoi gwynt o dan y cols ac aeth y gof a'r sipsi mas i'r clos at y merlyn. Casglodd y bobl ifanc o flaen Dicw i wylio Llew yn rhyddhau'r bwced ac yna'n codi carn y merlyn o'r dŵr. Roedd dwrn mawr y gof yn gallu bod yn dyner pan fyddai galw, ac roedd Dicw i'w weld yn hollol gyfforddus gyda'r driniaeth.

"Mae'r drwg wedi dod mas i gyd, wy'n credu," meddai Llew. "Ac mae'r man lle rois i'r gyllell i'w weld yn cau. Cer â fe am wâc ar y comin nawr i ga'l gweld shwt fydd e. Cadw'r carn yn lân sy isie nawr a dim gwaith trwm o hyn tan y ffair."

"Fydd e'n iawn i fynd i Landeilo dydd Mercher 'te?"

"Faint yw hi? Saith milltir i ti o'r coed 'na? Dyle fod yn iawn. Ond dim gormod o lwyth."

"Cerdded fyddwn ni. A dim ond basgedi gwag fydd yn y cart. Ac fe fyddwn ni wedi gwerthu'r llwyth cyn dod 'nôl, gobeitho."

"Cer i weld shwt ma' fe 'te."

Arweiniodd Jorjo'r merlyn heibio talcen yr efail i gyfeiriad y tir comin.

"Mae e'n cerdded yn weddol rwydd, Tada," sylwodd Anna.

"Ody, ac mae'n rhoi ei bwysau ar y carn yna, sdim dowt."

"Merlyn cryf yw e 'fyd," meddai Gwyndaf.

"Faint yw ei oed e, Jorjo?" gofynnodd Elin.

"Teirblwydd."

Dechreuodd Jorjo redeg a thywys y merlyn gydag ef. Rhoddodd Dicw drot, gan ddal ei ben yn uchel. Ymunodd y lleill yn y cwrs a chyn hir roedd yr olygfa'n tynnu sylw teuluoedd y sipsiwn eraill oedd yn gwersylla ar y comin. Wrth yr afon roedd rhyw hanner dwsin o bobl ifanc gyda'u ceffylau a'u merlod. Mynd â'r anifeiliaid at afon Sawdde i yfed oedden nhw, ond roedd ambell un yn marchogaeth yn yr afon hefyd. Daeth un o'r criw o'r afon ar garlam at y merlyn gwyn.

"Merlyn newydd 'da ti, Jorjo!"

"Bore da iti, Abram. Braf dy weld di 'to."

"Moyn ras, Tom?" heriodd Abram.

"Na, dyw e ddim wedi bod yn hwylus. Alla i ddim mynd ar ei gefen e heddi."

"Rhywbryd 'to 'te." Pwysodd Abram am gael trefnu ras at y dyfodol.

"Rwyt ti wedi cael gaea' da," meddai Jorjo wrtho. "Rwyt ti wedi tyfu fel onnen – rwyt ti bron â bod cyn daled â Tom ni nawr."

"Na, ar gefen y ceffyl mae e," meddai Tom. "Digon hawdd bod yn dal lan fan'na!"

Heb oedi, disgynnodd Abram oddi ar ei geffyl a sythu'i ysgwydd wrth ysgwydd Tom – ond roedd gwên lydan ar ei wyneb.

"Ddim yn ddrwg! Bron at dy ysgwydd di," meddai Abram. "Faint yw dy oedran di nawr?"

"Deunaw," atebodd Tom.

"Fydda i ddim yn hir yn dala lan 'da ti, a wy'n ddwy flynedd yn ifancach na ti!"

Yna trodd Abram at Gwyndaf. "A faint wyt ti 'te?"

"Pymtheg."

"Gawn ni'n tri ras 'te?"

"Hei, beth amdanon ni – Elin a finne?" gofynnodd Anna. "Mae merched yn gallu rhedeg 'fyd, Abram."

"Reit 'te! Pump yn y ras. Gore i gyd. At ble'r awn ni – at y gât wrth y bont?" Roedd Abram wedi cyffroi i gyd ac yn ysu i gael cystadlu.

"Alli di redeg at y gât ar un gwynt," meddai Jorjo. "Dyw hynny ddim camp. Os ras, ras o gwmpas y comin a bennu wrth y gât."

"W! Eitha reit. Syniad da – ble y'n ni'n dechre?"

"Dechre wrth dy dra'd man hyn," meddai Jorjo. "Draw at yr afon. Gyda'i glan hi ac wedyn llinell syth at fythynnod Llwyncelyn. Neidio dros ffos y felin. Mla'n ar yr hewl fach draw at ffarm Godre'r Garreg. Troi 'nôl, heibio'r felin ŷd a Dôl-bant, 'nôl am y felin wlân ac wedyn sythu a tasgu mynd at y gât. Wneith hynny ddangos faint o wynt sy 'da chi."

"Pa mor hir yw hynny?" gofynnodd Elin.

"Dros filltir, siŵr o fod," meddai Jorjo.

"Becso?" gofynnodd Abram yn chwareus.

"Gei di weld nawr," atebodd Anna.

Gosododd Jorjo'r pump mewn llinell a gofyn i bob un

dynnu eu clocsiau. Yn droednoeth roedd rhedeg, meddai.

"Dim torri corneli, cofiwch!" Cyfrodd Jorjo o un i dri a bant â nhw.

Llamodd Tom ymlaen gyda'i goesau hirion a chyflymodd Abram fel ei fod ar ei ysgwydd. Roedd hi'n dwym rhwng y ddau wrth iddyn nhw redeg yn gyflym. Yn fuan iawn agorodd cryn fwlch rhwng y ddau ohonyn nhw, a Gwyndaf oedd wedyn dipyn bach ar y blaen i Anna ac Elin.

"Ras filltir yw hon," meddai Anna wrth ei ffrind. "Rhedeg yn ysgafn sy isie, nid dyrnu'r ddaear gyda'r tra'd fel y ddou darw 'na!"

"Ond smo ni moyn bod yn rhy bell ar eu hôl nhw, chwaith!" meddai Elin.

Cyffyrddodd y ddau ar y blaen y gât wen o flaen y tollborth wrth y bont. Daeth dyn bychan yn gwisgo het galed i'r golwg yn nrws y tolldy. Trodd y ddau redwr ac anelu am lan yr afon. Ymhen sbel, cyffyrddodd Gwyndaf y gât a throi i'r chwith ar ôl y ddau arall. Rhoddodd y dyn bach het galed gam y tu fas i ddrws ei dŷ.

Pan gyrhaeddodd y ddwy ferch y gât gyda'i gilydd, roedd y ddwy'n estyn ei breichiau er mwyn cyffwrdd ynddi pan gawsant lond pen gan geidwad y porth.

"P'idwch twtsh â'r gât! Eiddo'r Tryst yw hi! Nawr bant â chi!"

Trodd y ddwy i'r chwith heb gymryd fawr o sylw ohono. Ond sylwodd Elin ar lygaid gloywon tri o blant bach y tollborth oedd yn gwylio'r ras gyda diddordeb mawr.

"Mae'r tir yn fwy garw nawr," meddai Anna. "Cadw dy lyged ar y llawr. Gwylia rhag baglu. Mae ambell dwfftyn mawr o laswellt ac ambell garreg fan hyn a fan 'co. Gwylia lle ti'n rhoi dy dra'd."

Cadwodd Elin ei phen i lawr a sylwodd nad oedd Anna'n cadw llinell syth wrth redeg. Roedd yn troi allan a throi i mewn gyda'i thraed gan osgoi unrhyw drafferth ac yn rhoi sbring i bob cam wrth fynd.

Ar ôl gadael yr afon, roedd darn o gomin ac wedyn ffos y felin. Roedd honno'n weddol lydan ond roedd y bechgyn wedi oedi, cyflymu a neidio'n glir trosti.

"Awn ni dros y ffos heb arafu a heb gyflymu," meddai Anna. "Anadl i miwn ar gam y naid!"

Dyna sut y bu a chroesodd y ddwy yn llyfn. Heibio'r bythynnod. Cadw i'r chwith ac roedd chwarter milltir o hewl arw o'u blaenau ar draws y comin at y ffarm bellaf. Roedd y ddau ar y blaen eisoes hanner y ffordd ar draws, yn tasgu mynd, yn cicio cerrig wrth garlamu ac yn hanner disgyn weithiau wrth gael cam gwag i mewn i bwll.

"Dere!" meddai Anna. "Fe dynnwn ni'r brawd 'na sy 'da ti 'nôl aton ni. Mae'i goese fe'n fyrrach na dy rai di, on'd y'n nhw? Cadw i edrych ar y llawr o dy fla'n."

"Ie! Gad inni ddala lan â Gwyndaf," meddai Elin.

Clywodd Elin ei chamau'n ymestyn ac yn ystwytho. Ochrgamai garreg a rhoi sbonc yn ôl i'r canol oddi ar ochr ei throed. Roedd y ddwy'n anadlu'n llyfn ac roedd Anna'n gallu dal i siarad, hyd yn oed.

"Fyddwn ni ddim ymhell y tu ôl iddo fe erbyn cyrraedd Godre'r Garreg."

Roedd tro tyn i'r chwith ar y gornel honno cyn dechrau'r daith yn ôl. Taflodd Gwyndaf gip sydyn ar y ddwy wrth droi'r gornel, ac roedd yr olwg ar ei wyneb yn dangos ei fod yn synnu eu bod mor agos ato. Cyflymodd ei gam.

Pasiodd Tom ac Abram y felin ŷd. Roedd wynebau'r ddau'n goch ac yn dangos straen. Gan fod Abram yn ei herio, roedd Tom wedi rhedeg hanner cyntaf y ras yn rhy gyflym ...

Dechreuodd Gwyndaf ennill tir arnyn nhw ...

"Paid â gad'el iddo fe fynd," meddai Anna. "Tipyn bach mwy ..."

Teimlodd Elin ei choesau'n ymateb. Roedd ei hanadlu'n dal yn llyfn. Heibio Dôl-bant. Erbyn dod at y felin wlân, roedd Tom yn dal ei ochr wrth redeg. Aeth Abram heibio iddo ond ar hynny syrthiodd ar ei hyd ar yr hewl cyn codi'n syth. Ond roedd y bwlch yn cau rhyngddyn nhw a Gwyndaf, a doedd y merched ddim yn ei adael e'n rhydd. Cyrraedd ffordd y bont. Canllath da at y bont. Dyma Gwyndaf heibio'r ddau ar y gornel.

Roedd y ras wedi ennyn tipyn o ddiddordeb y teuluoedd ar y comin erbyn hyn ac roedd criwiau wedi casglu o boptu'r canllath olaf i annog y rhedwyr. Cododd gwaedd fawr wrth i'r ddwy ferch dasgu heibio Tom ac Abram.

"Agor hi mas!" gwaeddodd Anna.

Cyflymodd y ddwy. Hanner canllath. Taflodd Gwyndaf gip dros ei ysgwydd a gweld y perygl. Rhoddodd ei ben i lawr, dyrnu'r awyr ac ergydio'i draed ar y ffordd. O'r mymryn lleiaf, ef gyffyrddodd y gât wen gyntaf cyn disgyn yn swp ar y comin yn ymladd am ei anadl.

"Bron i ni dy ddala di!" meddai Elin, gan sefyll uwchben ei brawd. "Decllath arall a ni fydde piau hi!"

"Do, fe redaist ti ac Anna yn wych," meddai Gwyndaf.

Wrth y gât roedd gŵr ar geffyl du tal. Nid ceffyl sipsi oedd hwn, meddyliodd Elin wrth droi i edrych arno. Roedd gan y gŵr grafat du am ei wddw ac roedd yn dangos diddordeb mawr yn y ras.

Pennod 4

"Y'ch chi'n dod drwy'r gât neu b'idio?" gofynnodd dyn bach y tollborth wrth y gŵr â'r crafat du. "Pedair c'inog i chi a'r march."

"Chwilio am efel y gof ydw i," meddai'r crafat du.

"Wel, mae efel Hewl Felen drwy'r gât, dros y bont, drwy'r pentre ac ar hewl Glansefin … Mae efel arall yn y pentre yr ochor draw i eglwys y llan ac mae un arall dros y bont i'r dde wrth gyrraedd Rhyd-y-saint. Pwy un chi moyn? Pedair c'inog yw'r tâl i ŵr bonheddig ar gefen march, 'ta p'un."

"Efel Llew Lewis."

"Sa i wedi clywed …"

"Esgusodwch fi, syr," meddai Elin. "Allwn i ddim llai na chlywed. 'Co hi efel Llew – ar draws y comin at y tai 'co yn Felindre. Yr adeilad ar y pen ar y chwith."

"Diolch i ti, 'merch i," meddai'r crafat du.

Edrychodd Elin ar ei wyneb am y tro cyntaf. Gwelodd wyneb cul ac esgyrn y bochau yn uchel ac yn amlwg. Roedd ganddo locsyn clustiau cyrliog a hwnnw'n dechrau britho. Gên sgwâr a cheg syth, benderfynol. Ond y llygaid oedd yn dal ei sylw hi – roedd y rheiny fel llygaid barcud, yn gweld popeth ac yn danllyd.

"Ac fe redodd y ddwy ohonoch chi ras dda." Edrychodd y gŵr â'r crafat du ar y tri bachgen oedd yn dal i anadlu'n ddwfn ac yn gorwedd ar lawr. "Synnwn i ddim na allech chi redeg rownd arall o gwmpas y comin!"

Derbyniodd wên o ddiolch gan Elin ac Anna a bant ag ef ar ei geffyl i gyfeiriad yr efail.

"Myn yffach i, diolch yn dwlpe, grotesi!" Doedd dyn y tyrpeg ddim yn hapus. "Dyna finne wedi colli pedair c'inog arall alle fod wedi mynd at roi bwyd ym mola'r plant 'ma."

Trodd ar ei sawdl a mynd yn ôl drwy ddrws agored y tolldy.

"Dyna beth o'dd diwedd da i ras redeg!" Roedd Jorjo wedi cyrraedd atyn nhw bellach. "Ddaliest ti dy dir, Gwyndaf, whare teg i ti, ond fuoch chi ond y dim i'w ddala fe, ferched! Ac am y ddou felin wynt, wel mae isie mesur hyd y ras cyn agor y tapie i gyd, on'd o's e?"

"O leia dim fi o'dd y dwetha i gyrraedd y gât!" meddai Tom gan roi pwniad chwareus i Abram.

"Mae carn Dicw i'w weld yn dala'n dda, Tada," meddai Anna.

"Ody. Mae'n bryd i ni fynd 'nôl i'r Coed. Mae gwaith i'w neud ar y basgedi. Y'ch chi'ch dou'n dod?"

Cododd Tom, yn barod i ddilyn ei dad.

"Do's gyda fi ddim yn galw," meddai Gwyndaf. "Ddo' i gyda chi os y'ch chi moyn 'chydig mwy o help llaw."

Safodd wrth ochr Anna.

"Elin," meddai wrth ei chwaer, "mae Dad wedi mynd â dou dap casgen i Llew Lewis ers 'chydig wythnose. Fe fydd eu hangen nhw nawr. Allet ti fynd i ofyn amdanyn nhw? Fyddi di'n iawn i fynd gatre dros y bont wedyn?"

Doedd hi ddim yn filltir o daith i Dafarn y Wawr, ond gwenodd Elin wrth weld sut roedd ei brawd wedi llwyddo i gael Anna iddo fe ei hunan.

"Fe af i i'r efel nawr," meddai, a doedd hynny ddim yn ei phoeni hi chwaith.

Dan oedd wrth y tân yn y gweithdy pan gerddodd Elin i mewn drwy'r drws agored. Edrychodd arno'n troi'r haearn yn y glo, oedd bellach yn goch, yn craffu i lygad y tân a gwylio'r metel yn troi o ddu i goch ac o goch i wyn. Sythodd Dan yn sydyn a chamu'n chwim at yr engan i guro'r haearn gyda chyfres o ergydion mân nes ei fod yn plygu'n araf i greu cyrlen ar ben y ffon haearn. Wedi craffu a tharo rhai ergydion pellach, roedd yn amlwg wedi'i blesio a thrawodd y metel poeth mewn cafn o ddŵr nes bod hwnnw'n hisian a chymylau o stêm yn codi ohono.

Dan Dowlais oedd yr enw arno yn y pentref, a dyna a âi drwy feddwl Elin. Roedd wedi gadael yr efail yn grwtyn un ar bymtheg oed. Er ei fod wedi dysgu crefft y gof gan ei dad, roedd wedi mynd tua Merthyr er mwyn gwneud ei ffortiwn yn y gweithie haearn. Llwythwr yn ffwrneisi Dowlais oedd e ond fuodd e ddim yno mwy na dwy flynedd. Er bod gwell arian i'w gael ym Merthyr, doedd pethe ddim yn dda yno. Fe adawodd e'n weddol glou ar ôl y terfysg mawr hwnnw pan feddiannodd y gweithwyr y dre nes cyrhaeddodd y Dragŵns yno. Ond er ei fod yn ôl yn yr efail ers deuddeng mlynedd, Dan Dowlais oedd e'n dal i fod yn y pentref.

Cododd Dan ei ben a sylwi bod Elin yn sefyll yn y drws.

"Cyrlen arall i iet y ficer," meddai wrthi. "Maen nhw'n ca'l ietie newydd o fla'n y tŷ mawr sy 'da nhw yn y llan. Dyna lle mae degwm yr eglwys yn mynd, 'twel! Ond o leia mae ambell g'inog yn rhowlio yn ôl drwy ddrws yr efel 'ma."

"Dad sy'n holi am y tapie casgenni, Dan."

"Pwy dapie?"

"Dda'th Gwyndaf a finne â nhw i lawr i'r efel rhyw dair wythnos neu fis yn ôl."

"Roioch chi nhw i fi 'te?"

"Na, i Llew."

"Yyy! A beth mae hwnnw wedi gneud â nhw 'te? Dyw e ddim yn cofio dim am y jobsys 'ma oni bai ei fod e'n baglu trostyn nhw ... Dou dap tafarn, wedest ti?"

Craffodd Dan o gwmpas yr efail.

"Do's dim golwg ohonyn nhw. Well i fi fynd i ga'l gair 'dag e ..."

Trodd i fynd am ddrws y stabal, ond torrodd Elin ar ei draws.

"Na, paid. Mae rhywun 'dag e. Weles i'r ceffyl du tu fas. Ro'dd dy dad yn sefyll yn y gornel draw fan 'co pan roion ni'r tapie iddo fe ..."

"Man hyn? ... O, beth yw'r rhain ar y blocyn pren 'te?"

Cododd ddau ddarn o fetel â'i law.

"Ie, rheina y'n nhw, Dan."

"Be sy'n bod arnyn nhw 'te?"

Safodd Dan o flaen drws yr efail gan studio'r tapie yn ei ddwylo.

"Mae'r pen pwno wedi craco yn y ddou. Ti'n gweld y darn crwn yma o fla'n y tap sy'n agor? Hwnnw y bydd Dad yn ei fwrw â'r ordd fach er mwyn pwno'r tap miwn i gasgen newydd. Ond mae'r ddou yma wedi agor wrth ymyl y tap ac maen nhw'n gollwng cwrw, er bod y tap wedi'i gaead."

"Diawch ariôd! Ddaw hi ddim wrth afradu cwrw da! Wel, mae'n amlwg nad yw Dad wedi baglu dros y tapie yma ..."

"O's gobeth eu ca'l nhw i fynd â nhw 'nôl iddo fe heno?"

"Heno! Mae 'da fi …"

"Ond maen nhw 'ma ers w'thnose, Dan! Ac mae'n ffair Lland'ilo ddydd Mercher – bydd rhai'n teitho o bell a moyn dracht o gwrw wrth baso'n tafarn ni yng ngole'r wawr."

"Ie, ie a moyn llwnc fach arall ar y ffordd gatre, siŵr o fod. Ie o'r gore, groten. Fydda i ddim yn hir nawr yn caead y cracie 'ma. Stedda di lawr os cei di le yn rhywle."

Cariodd Dan y tapie at y tân.

Edrychodd Elin o'i chwmpas. Roedd cadair bren wrth ddrws cefn y stabal. Croesodd ati ac eistedd arni.

Gwyliodd Dan yn canolbwyntio ar ei waith. Taflodd gip ar y gêr rhyfeddol oedd yn llenwi'r efail. Yna, clywodd leisiau y tu ôl iddi. Roedd hi'n adnabod goslef llais y gof ac mae'n rhaid mai'r gŵr dierth â'r crafat du oedd berchen y llais arall. Trodd ei phen a chlywodd ryw dameidiau o frawddegau. Doedd hi ddim yn busnesu ond roedd hi am wybod mwy am ŵr y crafat du. Doedd hi erioed wedi'i weld yn y pentref o'r blaen. Na, doedd hi ddim yn busnesu yn y sgwrs breifat yn y stabal o gwbwl ond yn sydyn clywodd yr enw 'Beca' a chododd ei chlustiau.

Ie, dyna fe 'to. Llais y gŵr dierth.

"… Beca newydd … mae pawb yn gwybod am Twm …"

Yna clywodd ambell air a ddwedodd y gof.

"… pethe'n wherw nawr … nid whare anterliwt yw hi mwyach … ma'r cleddyfe mas …"

Llais y gŵr â'r crafat du wedyn.

"… 'na pam mae isie symud y pwyse o'r gorllewin … yma yn Nyffryn Tywi … ond rhaid cadw'n dawel … mae clustiau agored a thafodau rhydd ... peryglus iawn ..."

Yna'r gof, yn amlwg wedi codi ar ei draed ac yn cerdded o gwmpas y stabal. Daeth yn nes at y drws. Clywodd Elin sŵn cadwyn haearn yn cael ei hysgwyd ond roedd brawddeg nesaf y gof yn hollol glir.

"Mae isie cadwyn fel y gadwyn haearn hon. Pob modrwy yn y gadwyn yn ddiogel ond dim un fodrwy yn cyffwrdd mwy na dwy fodrwy arall – yr un tu ôl iddi a'r un y tu bla'n iddi. Dyw'r fodrwy hon ddim yn gwbod pa mor hir yw'r gadwyn na phwy sydd ar ei phen pellaf hi – ond mae'n gwbod ei bod hi'n gadwyn gref. Dyna'r ffordd mla'n. Cadw'r llinell gyswllt yn gyfrinachol a chario'r neges yn ofalus o fodrwy i fodrwy i lawr y gadwyn cyn casglu'r merched at ei gilydd."

Llais y gŵr dierth oedd yn ateb wedyn, ond roedd hwnnw ym mhen pella'r stafell ac ni allai Elin glywed gair a ddywedodd.

"Dyma ni," meddai Dan o'r lle tân. "Mae'r ddou dap yn sownd iti nawr. Fyddan nhw ddim yn afradu diferyn o gwrw dy dad. Falle fydd e wedi arbed digon i roi peint bach i fi! Dim ond eu hoeri nhw nawr ..."

Sŵn hisian y dŵr eto. Ond clywodd Elin eiriau ola'r gof.

"Reit, af i draw i weld Jac Griffiths y Plow 'te. Mae'n bryd i ni ddechre ennill brwydrau. Dyw codi hwyl wrth godi gordd a cholli'r dydd ddim digon da. Mae isie i ni gario'r dydd ambell dro. Mae'n bryd i ni wneud hynny 'to!"

"Dyma ti!" Estynnodd Dan Dowlais y ddau dap iddi. "Maen nhw'n dal yn dwym. Dal di nhw yn y dŵr am dipyn bach iddyn nhw oeri tipyn mwy, i fi ga'l troi 'nôl at yr ietie 'ma i'r ficer."

Pan adawodd Elin yr efail, roedd y gŵr â'r crafat du a'r gof wedi gadael y stabal drwy'r drws pellaf. Safai'r ddau wrth ymyl y ceffyl du. Nodiodd y dieithryn ar Elin.

"Mae hon yn rhedeg fel eboles, Llew."

"Ody 'ddi nawr?" Teimlodd Elin fod y gof yn dangos dipyn o ddiddordeb ynddi mwyaf sydyn.

"A'r ferch bryd dywyll oedd gyda hi ..."

"Weles i hi'r pnawn 'ma. Anna. Merch Jorjo'r sipsi. Wel, mae rhedeg yn creu cadwyn, yn dyw e?"

Edrychodd y ddau ddyn ar ei gilydd.

Ffarweliodd Elin â'r efail. Wrth fynd heibio gât wen Pont Carreg Sawdde gwelodd y dyn bach het galed eto. Gwgodd hwnnw arni.

"Dwy droed. Da i ddim. Dim c'inog i'r gât," meddai'n sur.

Rhedodd dau o'r plant troednoeth o'r tolldy a golwg fain a llwydaidd arnyn nhw. Er eu bod yn swil, fedren nhw ddim peidio ag edrych mewn rhyfeddod ar Elin.

Cyrhaeddodd y ffordd dyrpeg, ei chroesi a dechrau dilyn y llwybr i fyny'r caeau heibio Cae-rhyn am Dafarn y Wawr. Nid oedd neb arall ar y llwybr. Dechreuodd redeg yn ysgafn. Ceisiodd gofio cyfarwyddiadau Anna. Peidio gwthio'i hun yn rhy wyllt yn rhy gynnar. Cadw'i llygaid ar y rhwystrau ar y llawr. Ochrgamu. Sboncio'n ôl oddi ar ochr y droed. Teimlai'n ysgafndroed ac yn heini. Cyflymodd ei cham er bod y llwybr yn codi'n serth ...

Pennod 5

Roedd y torfeydd ar Hewl Rhosmaen yn rhy drwchus i gart a cheffyl fynd drwy Llandeilo er ei bod hi'n gynnar yn y bore. Diwrnod y ffair oedd hi, ac roedd yn rhaid codi'n gynnar i fynd am y dref. Gan fod ganddyn nhw fusnes yn y ffair, Tegwen Rees oedd yng ngofal Tafarn y Wawr, a chyrhaeddodd Elin a Gwynfor y dref yn y cart gyda'u tad tra oedd stondinau'n cael eu codi ar hyd y strydoedd ac yn y fynwent. Brwydrai stondinwyr am le ymysg y gwartheg a'r certi moch oedd ar werth. Cyrhaeddai eraill ar gefn ceffylau cryfion, gan hawlio llwybr drwy ganol y dyrfa.

Gyrrodd Brython Rees ei gaseg a'i gart ar hyd Lôn y Gilgant a dadfachu yng nghefn tafarn y White Horse. Aeth Gwynfor i stablu'r gaseg. Roedd Brython yn cyfarfod dau borthmon am frecwast yn y King's Head ac am fynd i Fanc yr Eidion Du ar ôl hynny. Ond cyn iddo adael y cart, tynnodd ruban glas golau o boced ei wasgod.

"Garet ti gael hwn i'w wisgo yn dy wallt heddi a hithe'n ddiwrnod ffair, Elin?" gofynnodd Brython.

"Diolch, Dad," meddai Elin. "Mae e'n bert iawn. Ble cawsoch chi afael ar hwn mor gynnar yn y dydd?"

"Hen un fy whâr i yw e," meddai'i thad. "Gwladys. Fuodd hi farw'n ifanc. Glywest ti ddim amdani hi o'r bla'n?"

"Na, sa i'n credu."

"Gwisg e. Cadw fe. Mae e'n gweddu i liw dy lyged di."

Clymodd Elin y rhuban yn ei gwallt. Yna gwenodd ar ei

thad a rhoi'r fasged ar ei braich i fynd i gasglu'r negeseuon roedd ei mam yn disgwyl amdanyn nhw.

"Bydda i'n mynd i'r warws ar ben Hewl y Bont wedyn," meddai Brython. "Mae cist o de i'w chasglu ar gyfer Siop y Groes yn y Llan. Fe gaiff un o'r gweision ddod â hi lan ar drol ac fe rown ni hi yn y cart yn y cefen 'ma wedi 'ny."

Gan fod ganddo gart helaeth i gario casgenni, roedd Brython Rees yn cael tipyn o fusnes yn casglu a nôl nwyddau i fusnesau eraill yr ardal o dro i dro. Byddai'n gweithredu fel cludwr teithwyr yn ogystal pan fyddai galw.

Aeth Elin i Stryd y Brenin i ddechrau arni. Yno roedd siop y gwerthwr blawd. Roedd ganddi archeb am sacheidiau o flawd am y mis ar gyfer y dafarn. Hon oedd ei hoff alwad gan nad oedd yn rhaid iddi gario dim oddi yno – byddai'r gwerthwr yn anfon y sachau i'r dafarn cyn diwedd yr wythnos.

"Faint wedest ti oedd y pris y mis hwn?" Rhythodd i lygaid y llanc y tu ôl i'r cownter fel pe bai cyrn yn tyfu ar ei ben. "Mae hwn'na dros gwarter yn uwch nag o'dd e'r mis dwetha."

"Dyna beth sy 'da fi ar y papur 'ma," atebodd y llanc yn ddryslyd.

"Ond ry'n ni'n archebu bob mis ac yn talu bob mis!"

"Ti'n ca'l y pris gore alla i gynnig."

"Wel, gofyn i Mr Harries fan hyn os gall e gynnig pris gwell 'te. Allwn ni byth â gwneud elw fel hyn – mae'r pris yn rhy uchel. Mae pawb isie byw!"

"O's problem fach?" Roedd Watcyn Harries y perchennog wedi agosáu at y cownter wrth glywed lleisiau'n codi. Ar ôl clywed protest Elin, siglodd ei ben mewn cydymdeimlad.

"Mae hyn yn ofid calon i ni, Elin fach. Ry'ch chi'n

gwsmeriaid da, ond mae'n costau ni – wel, maen nhw wedi codi drwy'r to. Y gwenith'a'r barlys yn brin, 'twel – haf gwael a chynhaeafau gwlyb llynedd a'r flwyddyn cynt, ac wedyn mae'r senedd yn Llunden yn pallu caniatáu dim i ddod miwn o wledydd tramor. Bydde hynny'n gostwng y pris i bobol gyffredin fel ni. Ond na, llai o elw i'r landlordied, ti'n gweld. Maen nhw'n edrych ar ôl eu pobol eu hunen wrth greu deddfau masnach. Ac wedyn mae carto'r llwyth i Langadog yn golygu talu toll wrth yr holl gatie 'na. Ac mae'r tolle wedi codi hanner gwaith yn fwy dros y blynydde dwetha 'ma. Gât Rhosmaen, gât Maenordeilo, gât Pont ar Dywi, Gât Castell Meurig – pedair gât miwn saith milltir! Chwe ch'inog y tro am gart a cheffyl! Dou swllt, Elin fach. Cyflog pythefnos i was ffarm! O, mae'n flin 'da fi ond alla i ddim gwerthu'r blawd ar golled a dyna'r pris isa alla i gynnig i chi, un o fy nghwsmeriaid gwerthfawr i, am y mis hwn. Do's ond gobeithio y daw hi'n well, Elin fach."

"Ry'n ni'n ceisio cefnogi'r dre farchnad leol," meddai Elin, gan deimlo'i gwres yn codi. "Ond ma'r prisie yma'n warthus!"

"Os ewch chi ymhellach i brynu nwydde, bydd yn rhaid ichi dalu mwy o dolle i garto'r cwbwl gatre drwy'r tollbyrth," atebodd Watcyn Harries, cyn symud i lawr y cownter at gwsmer arall oedd yn achwyn am y cynnydd yn y prisiau.

Yr un oedd y gân ymhob siop ac ar bob stondin. Costau pawb yn uwch, prisiau wedi codi. Llanwodd Elin ei basged ond roedd ei phwrs gryn dipyn yn wacach. Gwelodd Anna wrth y cart basgedi o flaen Neuadd y Sir ar Ffordd Caerfyrddin. Yn rhyfedd iawn, roedd Gwyndaf yno hefyd. Edrychodd Elin ar y llwyth mawr o fasgedi.

"Pethe ddim wedi dechrau gwerthu 'to 'te?"

"Dyw hi ddim yn edrych yn rhy dda heddi," atebodd Anna.

"Basgedi cry! Gwaith ffarm, gwaith tŷ!" Roedd Jorjo'n ceisio hysbysebu'r nwyddau drwy weiddi dros y stryd. Safai Mari Lee wrth ei ochr yn cynnig basged i gwpwl oedd yn pasio ond edrych i lawr a siglo'u pennau wnaethon nhw.

"Dewch nawr," meddai Mari. "Allwch chi ddim gad'el ffair tref y bont hir heb un o fasgedi gore'r sir!"

"O, lle mae'r hwyl yn y ffair 'ma, gwedwch?" meddai Elin yn rhwystredig. "Mae rhyw gymyle duon uwchben pawb a phopeth."

"Pluen wen sy gan hwn yn ei gap, 'ta p'un," meddai Anna.

Sylwodd y tri ar ŵr cefnsyth mewn lifrai milwrol gyda het dri chornel ar ei ben a chleddyf ar ei wregys. Roedd yn fwy addurnedig na'r milwr cyffredin. Cerddai gydag ystum un oedd am ddangos ei fod yn bwysig. Roedd dau filwr traed gyda gwn bob un yn ei ddilyn.

"Mae e wedi dod yma o Gaerfyrddin," meddai Gwyndaf. "Cyrnol Love, medde rhywun wrtho i, wrth ei weld e'n cyrraedd y Cawdor. Fe yw pennaeth yr holl filwyr yn y tair sir erbyn hyn. Mae mwy yma nag o'dd 'dag e yn erbyn Napoleon, myn yffarn i!"

"Mae rhywfaint o ddŵr meddal yn ei lygad e," meddai Mari Lee wrth glywed eu sgwrs. "Falle fod ganddo galon o dan y trimins yna."

"Pam ei fod yn Lland'ilo heddi 'te?" gofynnodd Elin.

"Mae cyfarfod pobol fawr i fod yn y neuadd, dyna glywes i," meddai Gwyndaf. "Fe fydd Rice Trevor, Plas Newydd Dinefwr yno."

"Ond mae e'n byw yn Llunden, dyw e ddim?" gofynnodd Elin.

"Dinas y llygod mawr, mawr," meddai Mari Lee.

"Mae e'n ôl yma yn enw cyfreth a threfen," esboniodd Gwyndaf.

Dros y pum munud nesaf, gwelodd y criw bach wrth gart y basgedi fod prif swyddogion y dref a'r sir yn cyrraedd ac yn diflannu i mewn i gyntedd y neuadd. Daeth yno ynadon y dref, swyddogion a meistr y plas, clarcod yr eglwys fawr, warden y wyrcws oedd dros y bont yn Ffair-fach a rhai o'r cwnstabliaid oedd wedi'u gyrru o Lundain.

"Yr hyn yr hoffwn i ei ofyn," meddai Elin wrth ei brawd, "yw shwt wyt ti'n nabod y bobol bwysig hyn i gyd?"

"Cwestiwn da, Elin," meddai Anna, gan ymuno yn y tynnu coes. "Maen nhw'n gweud bod gan y bobol fawr weision bach sy'n rhedeg atyn nhw gyda'u hanesion, nagyn nhw?"

"Siarad tipyn o synnwyr yn y ffair – yn lle 'mod i'n clebran fel mae rhai eraill yn hoff o'i wneud!" atebodd Gwyndaf. "Hynny, a darllen y *Journal*."

Sylwodd Elin ar ŵr ifanc yn troi ei ben atyn nhw'n sydyn. Roedd ganddo bensel a llyfr nodiadau yn ei law. Wrth iddo ddal ei llygad, nodiodd arni. Trodd a tharo nodyn arall yn ei lyfr, ei gau a cherdded draw atyn nhw.

"Shwt ffair yw hi i chi heddi? O's 'da chi farn ar byncie mawr y dydd?"

"Basgedi cry! Gwaith ffarm, gwaith tŷ!" galwodd Jorjo.

"Siglo pen mae pawb heddi," meddai Elin. "Anodd gwerthu, anodd talu 'fyd. Dyna rwyt ti'n ei gasglu yn y llyfr bach 'na?"

"Dylan Lloyd," meddai. "Wy'n gwitho ar y papur newydd y ..."

"Y *Journal*!" meddai Gwyndaf. "Wy'n darllen dy erthygle di bob wythnos. Mae'r papur gyda ni yn y dafarn, 'twel."

"A pha dafarn yw honno?"

"Ti'n hoff o holi cwestiyne, yn dwyt ti 'te," meddai Elin a gwên fach ar ei gwefusau.

"Dyna 'ngwaith i," atebodd Dylan. "Dod o hyd i'r geirie y bydd rhai pobol am eu cwato."

Eglurodd Gwyndaf pwy oedden nhw ac yna bu'r ddau'n trafod y cyfarfod oedd yn paratoi i gychwyn yn Neuadd y Sir y bore hwnnw.

"Roedd cyfarfod tebyg yng Nghastellnewydd Emlyn ddydd Gwener," meddai Dylan. "Galw am greu cwnstablied lleol a chrefu am fwy o filwyr mae ynadon y trefi."

"Dynon yr hetie swanc," meddai Mari Lee.

"Nid bod hynny i'w weld yn gweithio'n dda," meddai Dylan. "Fe a'th y Dragŵns o Gaerfyrddin, rhai i Gastellnewydd a rhai i Sanclêr nos Lun – ond yn Abergwaun roedd Beca ac fe gafodd gât ei whalu'n jibidêrs yno. Aeth y Dragŵns yn ôl o Gastellnewydd i Gaerfyrddin heb weld dim. Ac yna am bedwar o'r gloch bore ddoe, fe ddaeth cannoedd o Ferched Beca i whalu gât Llanegwad ..."

"Ond dyw Llanegwad ddim ymhell o Land'ilo!" rhyfeddodd Elin. "Lawr yr hewl am Nantgaredig."

"Do'dd dim yn garedig yn ysbryd y Merched – fe dynnon nhw'r to oddi ar y tŷ tyrpeg yn ogystal â thanio gynne i'r awyr. Mae mwy a mwy ohonyn nhw'n cario gynne erbyn hyn."

"Dyw hynny ddim syndod, gyda chymaint o filwyr ar hyd y lle," meddai Gwyndaf.

"A rhagor ar eu ffordd," meddai Dylan. "Chi'n gweld y dyn mawr yn y got ddu wrth y porth? Dyn papur newydd o Lunden yw e. Thomas Foster, mae e'n sgrifennu i'r *Times* – papur pwysicaf Llunden."

"Dyn pobol fawr, felly," meddai Mari Lee.

"Dyn craff iawn," meddai Dylan. "Mae ganddo drwyn am ffeithie nad yw'r bobol fawr yn hoffi eu bod yn dod i olau dydd. Mae e eisoes wedi argraffu un erthygl wych amdano fe'n cyrraedd yma – ac yn cyfri un ar ddeg o gatie, dim ond ar y daith o Bontarddulais i Gaerfyrddin. Mae e'n gweud nad oes tair milltir o ffordd yn unlle yn Sir Gâr heb fod gât neu far neu gadwyn yn hawlio tâl am ei hagor."

"Mae e wedi'i deall hi 'te," meddai Gwyndaf.

"Mae e'n siarad gyda phobol ar y stryd, 'chwel. Terfysg a whalu mae rhai papurau yn eu gweld ond mae e'n gweld bod achos y tu ôl i'r gweithredu. Rhaid i fi fynd ato – fe fydd y cyfarfod yn dechre cyn hir. Os oes rhywun yn siarad yn Gymraeg, fi sy'n esbonio ac yn cyfieithu iddo fe."

Ar hynny, croesodd Dylan Lloyd yr hewl ac wedi iddyn nhw gael gair sydyn, gwelodd Elin a Gwyndaf y ddau newyddiadurwr yn diflannu i mewn drwy borth mawr Neuadd y Sir.

"Do's 'da fi ddim llawer o ffydd y bydd pethe'n newid ar ôl y cyfarfod 'ma," meddai Gwyndaf.

"Ond o leia fe gawn ni'r gwir yn rhai o'r papure falle," meddai Elin. "Hei, faint o'r gloch yw hi?"

"Deg munud i hanner dydd, medd cloc y neuadd."

"Mae criw anterliwt o Grymych yn perfformo yng nghefen y White Horse am hanner dydd," meddai Elin. "O's rhywun am ddod?"

"Alla i fynd i weld yr anterliwt 'da nhw, Dad?" gofynnodd Anna.

"Wel, do's dim angen help arnon ni fan hyn," atebodd Jorjo.

"Dim ond help y bedol sy'n dod â thipyn bach o lwc," meddai Mari Lee.

Aeth y tri am gefn y White Horse. Roedd tyrfa fawr yno'n barod a wagen wag wedi'i rhoi mewn un gornel o'r clos gyda thelyn arni. Wrth ochr y wagen roedd pabell a'i drws yn agor at y llwyfan. Yn honno roedd y perfformwyr yn paratoi ac yn newid eu gwisgoedd yn ystod y chwarae.

Daeth Tom Lee draw atyn nhw. Roedd wedi bod yn gweithio yn y stablau yn derbyn ceffylau rhai o'r ffermwyr ac yn gofalu amdanyn nhw.

"Do's dim llawer o arian cil-dwrn i ga'l heddi," meddai yntau.

Cododd ysbryd y dyrfa pan ddaeth perfformiwr lliwgar a ffraeth ar y llwyfan, yn curo drwm llaw ac yn rhaffu penillion, gan gyflwyno'r hyn roedden nhw ar fin ei gynnwys yn eu sioe. Cyfarfod diolch oedd hwn, cyhoeddodd, i bedwar o garedigion mawr gwerin Sir Gâr y dyddie hyn: y Ficer Boldew Bevan, yr Archfeistr Archwaeth Bwyd o'r Wyrcws, Bish y Bustach, stiward y stad a Tomi Tollbost, casglwr ceiniogau y Tyrpeg Tryst. Wrth iddo enwi pob un o'r cymeriadau, codai 'Bŵ!' ffyrnig ond hwyliog o blith y gwylwyr.

O olygfa i olygfa, dôi pob cymeriad i'r llwyfan yn ei dro er mwyn derbyn diolch am yr holl gymwynasau a wnâi i gymdeithas a gwerin gwlad. Chwerthin am ben y cyfan a wnâi'r dyrfa, ac ymuno mewn ambell gân watwarus – ond o dan y cyfan roedd cyllell finiog yn crafu at wraidd pob anghyfiawnder a gâi ei deimlo yn ffair Llandeilo y diwrnod hwnnw.

Yng nghanol golygfa Bish y Bustach, pan ddiolchai'r perfformwyr i stiward y stad am godi rhenti uwch ac am daflu pobl oddi ar eu ffermydd os oedden nhw'n cael trafferthion ariannol, sylwodd Elin ar ddyn mawr, gwarrog mewn siwt frown a het galed frown yn troi ei gefn yn flin ar y llwyfan ac yn gwthio drwy'r dyrfa gan anelu am y fynedfa yn ôl i'r stryd. Dechreuodd rhai ei wthio'n ôl tra ei fod yntau'n codi'i ffon er mwyn creu llwybr iddo'i hun.

"Pwy yw'r mwstásh bach blin yna?" gofynnodd Elin.

"Bishop yw e, prif stiward stad Plas Newydd Dinefwr," meddai'i brawd.

"Mynd i bisho wyt ti, Bishop?" gwaeddodd rhywun.

Arhosodd Bishop yn stond a throi i gyfeiriad y waedd, ond roedd yr heclwr hwnnw wedi cuddio'i hunan yn y dorf.

"O's, mae 'dag e fochau mawr slac fel bustach 'fyd, on'd o's e?" meddai Elin.

Wrth iddi ddilyn â'i llygaid daith y stiward at y fynedfa, sylwodd Elin fod y gŵr â'r crafat du yn sefyll yng nghefn y dyrfa.

Ar ddiwedd y perfformiad, ar ôl talu'u ceiniogau a galw am gân arall, daeth Brython Rees at y pedwar ohonynt.

"Bydd angen i ni fynd i mofyn y casgenni o'r Plow am ddou o'r gloch, felly wela i chi 'nôl ar yr iard 'ma rhyw hanner awr cyn hynny."

Pan edrychodd Elin wedyn at gefn y dyrfa, doedd y gŵr â'r crafat du ddim yno.

Pennod 6

Tafarn ar ochr y ffordd dyrpeg yn Rhosmaen, rhyw filltir o dref Llandeilo, oedd tafarn y Plow. Ar ddiwrnod ffair, roedd y lle'n llawn teithwyr o fore gwyn tan nos. Ffermwyr a chrefftwyr lleol ac ambell borthmon oedd yno fel arfer. Roedd gair da i gwrw Jac Griffiths y tafarnwr. Yng nghefn y Plow roedd bragdy yn y tai allan, ac yno roedd Jac a'i wraig Leisa ac Ann eu merch yn berwi'r brag, yn ei adael i eplesu ac yna yn ei gasgennu. Ond ar ddiwrnod ffair, gwaith y gegin a'r bar ac ateb anghenion y cwsmeriaid oedd yn bwysig.

Gŵr byr, llydan oedd Jac a breichiau codi casgenni deunaw galwyn ganddo. Cerddai o amgylch y byrddau yn ei ffedog ledr gan roi pwniad cyfeillgar i fraich ambell un, rhannu gair neu ddau gydag un arall. Yna câi bwl o chwerthiniad uchel gan daflu'i ben yn ôl ac agor ei geg yn llydan.

Roedd Elin wedi bod yno yn casglu casgenni gyda'i thad cyn hynny, ond nid ar ddiwrnod ffair o'r blaen. Synnodd wrth weld y lle mor llawn wrth ddilyn ei thad rhwng y byrddau.

"Hei Jac, mae pris y cwrw wedi codi 'to!" gwaeddodd un o'r cwsmeriaid ar y tafarnwr.

"Wy moyn bod yn ŵr cyfoethog fel ti, dyna pam," atebodd Jac.

"Ie, a dim ond lla'th mwnci yw e yn y diwedd," meddai yfwr arall gan edrych yn drist i mewn i'w dancer cwrw.

"Pwy yw'r mwnci sy'n ei yfed e, 'te!" gwaeddodd Jac a

thaflu'i ben yn ôl i chwerthin eto. "Ann, dere â mwy o gwrw i hwn, mae e'n gw'itho'n dda arno fe."

"Dere peth draw fan hyn wedyn," meddai gŵr ifanc wrth fwrdd arall. "Ry'n ni wedi dod yma o bell wedi clywed am safon cwrw'r Plow."

"O ble y'ch chi 'te, maddewch i fi am ofyn?" meddai Jac. "Y'n ni heb weld y ddou ohonoch chi 'ma o'r bla'n."

"Dyma Eben fy mêt i, a Wil odw inne – William Williams. Mab ffarm Ffos-yr-efel ym Mhontarddulais odw i a dyma fy nghymydog i."

"Draw i'r ffair, ife?"

"Ie siŵr, i weld shwt mae'r gwynt yn chwythu."

"Ac oedd yr awel yn fwyn heddi 'te?"

"Nac o'dd. Ro'dd e'n chwythu'n filain. O'r gorllewin."

Oedodd Jac am hanner eiliad ac yna nodiodd fel petaen nhw'n deall ei gilydd.

"Ann, dere â'r jwg draw i Wil a'i fêt man hyn." Plygodd yn is at y bwrdd a sibrwd yn dawelach na sŵn siarad y dafarn. "Mas y bac, yn y bragdy miwn pum muned?"

Cododd Wil ei dancer yfed a chuddio'i wên dawel yn y llestr.

Trodd Jac at fwrdd teulu Tafarn y Wawr.

"Dda dy weld di, Brython. A'r ddou ifanc. Mae hon gyda'r rhuban yn bictiwr 'da ti, yn dyw hi! Mae golwg deall eu gwaith ar y rhain 'fyd. Odyn nhw'n gefen i ti a Tegwen gyda gwaith y dafarn?"

"Maen nhw'n dod mla'n," meddai Brython. "Ond caled yw hi."

"Digon gwir. Ann, dere â glasied man hyn ar ôl iti bennu

fflyrtan gyda'r diethred ar y bwrdd fan 'co! Gawn ni roi'r casgenni ar y cart wedyn."

Aeth Jac yn ei flaen at y bwrdd nesaf.

Pwy gerddodd i mewn i'r Plow ond y gŵr â'r crafat du. Gwelodd Elin ef yn taro llygad sydyn o fwrdd i fwrdd ac yna, heb dynnu sylw ato'i hun, yn cerdded at y bwrdd lle'r eisteddai Llew Lewis y gof. Plygodd i ddweud gair yn ei glust a cherddodd yn ei flaen at Jac. Gwnaeth yr un modd, yna gadawodd drwy ddrws ochr y dafarn. Yn fuan wedi hynny, gorffennodd Llew ei lasied a chodi i adael y cwmni.

"'Nôl am yr efel, deulu bach," meddai wrth basio bwrdd Tafarn y Wawr. "Welwn ni chi'n glou 'to, gobeitho. Bydd rhaid inni ddod draw i brofi'r cwrw ffres, Brython."

Gadawodd y gof drwy ddrws blaen y dafarn.

"Rhaid i ninne fynd i lwytho," meddai'r tad wrth yr efeilliaid. "Ewn ni 'te?"

Yng nghefn y dafarn, roedd y gaseg yn dal wedi'i rhwymo yn y cart.

"Cer di i weld o's rhywun o gwmpas, Elin, ac fe ddown ni â'r cart at y drws dwbwl."

Cerddodd Elin at ddrws y bragdy a chlywodd leisiau y tu mewn. Curodd ar y drws a'i agor pan glywodd Jac yn galw arni.

"A, Elin," meddai Jac. "Mae'r casgenni wrth y dryse dwbwl uwch y seler yn y stafell drwyddo ffordd 'co. Bydda i yno nawr."

Aeth Elin drwyddo ac agor y drysau dwbwl a gadael i'w thad a'i brawd ddod i mewn.

"Wedodd e pa gasgenni sydd i ni?" holodd Brython.

Ar hynny daeth Jac a Wil Ffos-yr-efel draw.

"Tair hogsied wyt ti moyn heddi, dyna wedest ti, Brython?" Pan nodiodd y tafarnwr trodd Jac at ei gydymaith.

"Mae Wil man hyn wedi dod yr holl ffordd o Bontarddulais i roi help llaw i godi'r casgenni i'r cart, Brython!"

Rhwng y pedwar, codwyd y casgenni trwm i gefn y cart mewn byr o dro, gan ofalu eu cadw ar eu sefyll.

"Mae'r cwrw yn y rhain wedi gloywi'n ddiogel iti, Brython," meddai Jac y bragwr. "Maen nhw'n sefyll yn y seler ers pythefnos ac yn barod i'w hyfed heno os ti moyn."

"Ond bydd y gwaddod wedi cymylu'r cwrw ar y daith gatre," meddai Brython. "Gwell i fi eu gad'el nhw am ddiwrnod neu ddou, siŵr o fod."

"Gair o gyngor, Brython – byddi di eu hangen nhw heno. Wy wedi ailgasgennu rhain neithiwr a do's fawr o waddod ynddyn nhw nawr. Maen nhw newydd ddod o'r seler ac yn loyw ac yn oer braf. Tapa nhw'n uchel ar gyfer heno – bydd yr hanner uchaf fel y boi."

"Shwt ti'n gwbod y bydda i'n fisi heno?"

"Mae cyfarfod yn dy dafarn di yn hwyr heno, Brython. Byddi di angen y ddou hyn i gario i'r byrdde ..."

"Ond do's neb wedi gofyn i fi ..."

"Weithie, mae'n rhaid *gweud*, nid gofyn. A do's neb yn gwrthod os yw Beca yn gweud – cofia di hynny, Brython."

"Beca?"

"Ti wedi'i dyall hi, bachan. Wedodd rhyw ffarmwr tew o Sanclêr 'Na' wrth Beca a chyn y bore ro'dd gwartheg y mynydd yn ei wenith e. Paid gwrthod, Brython."

Trodd Jac yn ôl at Wil.

"Well i tithe ad'el nawr, Wil. Cer 'nôl i dafarne'r dre. Paid yfed mwy na sydd raid – dim ond yfed i fod yn gymdeithasol. Bydd Iori ni yn nhafarn y Castell am whech. Bydd ffrind arall yn gweud wrth y rhai mae ganddo fe ffydd ynddyn nhw. Tithe'r un modd. Yma, naw o'r gloch heno. Pawb sy'n gallu i ddod â dillad ac arfe. Wy wedi trefnu cyrn. Mae'r cotiau glas yn gad'el am wyth. Cofia fod amser yn gwasgu. Bant â ti nawr. A phaid â thynnu sylw atat dy hunan."

Nodiodd Wil ar deulu Tafarn y Wawr a gadael.

"Beth yffach sy mla'n 'da ti, Jac?" holodd Brython mewn llais difrifol.

"Mae'n rhaid cadw'r pwyse, bois. Mae'r gorllewin yn cerdded gan filwyr a Dragŵns ar hyn o bryd. Fel whain dros y wlad. Rhaid i ni yn y dyffryn hwn whare'n rhan nawr. Mae Wil yn mynd â'r un neges i Bontarddulais ..."

"O'r mowredd. Whare â thân nid whare'n rhan yw hyn, Jac," meddai Brython yn ofidus. "Mae Dragŵns 'nôl a mla'n yn Lland'ilo ac yn Llangadog 'fyd."

"Ddim heno. Mae Iori ni yn was yn stablau'r King's Head ac mae'r Dragŵns yn galw yno'n amal. Mae e'n cael gwbod eu cynllunie nhw. Gas e neges i lawr i fi. Maen nhw'n gad'el Lland'ilo am wyth heno i fynd lan i Bumsaint."

"Pumsaint? Chwe milltir ar hugen 'nôl a mla'n. Fyddan nhw wrthi drwy'r nos."

"Dyna'n cyfle ni. Ry'n ni'n cynnull criw i ad'el am naw."
"Pa gât?"

"Fyddwn ni wedi penderfynu erbyn hynny. Mae digon o ddewis! Bydd criw arall gyda chi ..."

"Llangadog? Ond ..."

"Dwy Beca yn y dyffryn ar yr un noson. Bydd eu penne nhw'n troi."

"Mae 'mhen inne'n troi nawr," meddai Brython, gan eistedd ar gasgen wag ar y clos. "O, sa i'n gwbod beth ddywedith Tegwen, nagw i wir."

"Mae heno'n hawdd. Ry'n ni'n gweld llawer oherwydd y ffair. A dyma'r tro cynta i Beca daro ffordd hyn. Ond byddwn yn cadw cysylltiad mewn dull gwahanol ar ôl heno. Bydd angen cadwyn."

"Cadwyn?"

Daeth y geiriau a glywodd yng ngefail Comin Carreg Sawdde yn ôl i feddwl Elin.

"Gwaith i rai cyflymach na ni," meddai Jac gan daflu cip ar yr efeilliaid. "Bydd Llew y gof yn egluro heno. Do's neb ohonoch chi'n nabod neb pellach na Llew yn llinell y negeseuon. Y'ch chi'n deall?"

Roedd gwên y tafarnwr hwyliog wedi diflannu a golwg benderfynol a difrifol oedd ar ei wyneb erbyn hyn.

"Cofiwch – mae rhannu gwybodaeth yn peryglu eraill. Wy'n gwybod y gallwn ni ddibynnu arnat ti, Brython. Ac arnoch chithe, bobol ifenc. Ac nid whare yw hyn. Mae hyn yn rhywbeth mae'n rhaid ei wneud. A rhaid inni'i wneud e'n iawn. Mae'n rhaid i bethe newid."

Camodd Jac i ganol yr iard a gweiddi fel nad oedd amheuaeth i neb arall a ddigwyddai fod o fewn clyw beth oedd yn cael ei drafod yn nrws y bragdy.

"Dyna chi 'te, llwyth o'r cwrw gore yn y gorllewin! Fydd Llangadog yn teimlo'n well ar ôl ca'l blas ar hwn! Siwrne ddiogel i chi nawr."

Trodd Jac ar ei sawdl a mynd yn ôl i'r dafarn.

Digon tawel oedd y cart ar y daith gartref.

"Oeddech chi'n gwbod rhywbeth am y cynllunie hyn?" gofynnodd Brython i'r efeilliaid.

"Chlywes i ddim byd tan nawr," atebodd Gwyndaf.

"Na ..." meddai Elin, heb allu edrych ar ei thad.

Erbyn cyrraedd Rhyd-y-Saeson, roedd cart Llew Lewis yn disgwyl amdanyn nhw.

"Meddwl y bydde'n well inni groesi afon Tywi gyda'n gilydd rhag ofon i gasgen fynd miwn i lif yr afon," meddai'r gof. "Wedyn fe wna i neidio i'r dŵr ar ei hôl hi!"

Doedd dim peryg o hynny. Roedd yr afon yn ddigon isel yr haf hwnnw ac aeth y cart dros raean y rhyd heb unrhyw drafferth. I fyny i'r lan ar yr ochr draw ac yna ar hyd ffordd union, weddol newydd tuag Ynys-y-moch. Drwy adael y ffordd dyrpeg a defnyddio'r rhyd, roedd y cartwyr yn osgoi talu toll ar y Bont ar Dywi wrth droi am Langadog a tholl arall yn y gât wrth ffermdy Glan Sawdde. Byddai'n rhaid i'r gof dalu toll arall wedyn i groesi Pont Carreg Sawdde am yr efail.

Ond doedd dim osgoi un gât arall, sef y gât wrth fynd o hewl Rhyd-y-Saeson i Gomin Carreg Sawdde.

"Chwe ch'inog i gert a cheffyl," meddai dyn y gât wrth Llew Lewis.

"Lladrad yw e, nid toll," meddai'r gof. "Wy'n gwrthod talu."

"Os mai fel'na mae'i deall hi, bydd dy enw di'n mynd miwn i'r llyfr mawr sydd ar y ddesg yn y tŷ 'da fi," meddai'r ceidwad. "O fla'n yr ynadon fyddi di wedyn. Gei di ddwy bunt o ddirwy – a choste. Felly beth yw hi, chwe ch'inog nawr neu ddwy bunt a mwy nes mla'n?"

"Mae dewis arall i ga'l," atebodd Llew. "Peido talu o gwbwl. Agor y gât, rho fy enw yn y llyfr a cer i'r diawl."

"Dy golled di fydd hi," meddai'r ceidwad. "Yn y wyrcws fyddi di fel hyn."

Pan ddaeth cart Tafarn y Wawr at y gât, gwaeddodd wedyn:

"Chwe ch'inog am y cart a'r ceffyl, Brython Rees."

Estynnodd y tafarnwr y pishyn chwech a'i roi yn ei law heb edrych arno a heb ddweud gair.

Pan wahanodd llwybrau ceirt yr efail a'r dafarn, gofynnodd Elin i'w thad:

"Pam na wnaethon ni wrthod talu fel Llew, Dad?"

"Mowredd, groten. O's dim synnwyr yn dy ben di? Allwn ni ddim rhoi sialens i'r awdurdode yng ngole dydd yn hollol agored fel'na! Ganddyn nhw mae'r grym i godi gatie a nhw piau'r gyfreth i fynnu derbyn yr arian rywsut neu'i gilydd. Nhw gyda'r pŵer a'r punnoedd, ni yn rhoi ac yn dal i roi."

"Dyna shwt mae hi yng ngole dydd, Dad," meddai Gwyndaf. "Falle fydd hi'n wahanol pan ddaw hi'n nos."

Pennod 7

"Dere â'r jwg draw'r ffordd hyn pan fydd cyfle 'da ti, Elin fach!"

Roedd byrddau Tafarn y Wawr yn llawn yn gynnar y noson honno. I lawr yn y seler, roedd Brython wedi gorfod tapio un o'r casgenni newydd, yn union fel roedd Jac y Plow wedi'i rybuddio. Roedd y cwrw wedi llifo'n glir ta beth, a phawb i'w weld yn fodlon.

Digon diflas, er hynny, oedd y rhan fwyaf o'r dynion wrth sgwrsio rhwng y byrddau. Ar wahân i Elin a Tegwen Rees, dynion oedd yno i gyd. Roedd y ffermwyr a'r crefftwyr yn cwyno bod popeth roedden nhw'n ei brynu yn ddrutach nag erioed, a bod popeth roedden nhw'n ei werthu wedi cwympo yn ei bris.

Roedd nifer o weision ffermydd yno hefyd. Doedd dim codiad cyflog wedi bod iddyn nhw ers blynyddoedd – ond roedden nhw ar yr un ochr â'r ffermwyr oedd yn eu cyflogi yn hyn o beth.

"Fe es i i ffair Lland'ilo ar y merlyn y bore 'ma. Rowndes i drwy Gapel Gwynfe a'r brynie i osgoi'r gatie – ond jawl ariôd, roedd y Tryst wedi gosod bar man hyn a man 'co, dim ond oherwydd ei bod hi'n ffair! Pedair c'inog bob tro!"

"Ie, John. 'Itha reit. Ac mae'r Tryst yn gweud mai codi tolle er mwyn hala arian ar y ffyrdd a gwella'u cyflwr maen nhw. Ond ni, pobol y plwyfi sy'n edrych ar ôl y ffyrdd bach, gwledig hyn – smo nhw'n gwario'r arian maen nhw'n ei gasglu ar yr hewlydd."

"Ie, ie – i boced ddwfwn y bobol fawr mae e'n mynd."

"Codi tolle ond ddim yn cau'r tylle!"

Ym mhob ardal ar draws y siroedd, roedd 'Tryst' wedi'i ffurfio gan bobl ariannog er mwyn codi tollau ar y rhai oedd yn defnyddio'r ffyrdd, ac roedd yr arian hwnnw wedyn i fod i gael ei ddefnyddio i wella eu cyflwr.

"Smo chi'n gallu trysto y rhai sy'n rhan o'r Tryst – dyna'r gwir amdani!"

"Mae'r byd 'ma'n newid, 'chwel – rhaid cael pethe'n gynt i'r mart y dyddie hyn."

"O, sa i'n siŵr am hynny," meddai Brython Rees gan ymuno yn sgwrs ei gwsmeriaid. "Ffyrdd y porthmyn sy 'da ni yn y dafarn hon – mae'r rheiny'n bod fel maen nhw wedi bod ariôd. Yn rhydd ar y mynydd – allwch chi fynd o fan hyn i Loeger heb dalu c'inog!"

"Ie, ond pa mor hir fydd hynny yn parhau, Brython? Mae gatie wrth droed y Mynydd Du erbyn hyn. Mae gât ar Hewl y Gelli, gât wrth Pont Clydach a gât yng Nghwm Llwyd."

"Ceiso dala'r ceirt sy'n cario glo o'r Gwter Fawr a chalch o chwareli Pant-y-ffynnon maen nhw – maen nhw'n gwybod bod rhaid i ni ga'l y nwydde ac maen nhw'n ein bwrw ni."

"Do'dd dim toll ar y ceirt yn cario calch flynydde'n ôl – a felly dyle hi fod o hyd. Ni'n talu i wella tir y mishtir, ac mae'i Dryst e'n codi tolle arnon ni am wneud hynny!"

"Ond mae'r porthmyn yn ca'l llonydd 'da nhw," meddai'r tafarnwr. "Fel'na fuodd hi ar hyd y canrifoedd a fel'na bydd hi."

"Paid ti â bod yn rhy siŵr, Brython! Glywest ti am y rheilffordd a'r injans stêm, do fe? Maen nhw yn y gwithe harn a glo yn y Cymoedd ..."

"Leins i'r diwydiant yw rheiny, 'chan. Sôn am deithio cyhoeddus y'n ni."

"Ara' bach nawr. Mae'r trên mawr wedi cyrraedd Bryste yn barod – beth sydd i weud na fydd hwnnw gyda ni cyn hir? Do's dim porthmyn yn Lloeger ers i hwnnw gyrra'dd."

"Siarad dwli yw hyn," meddai Brython. "Mae'r trên wedi stopo ym Mryste oherwydd ei fod e wedi cyrraedd y môr – all y trên ddim croesi dros y tonnau, all e!"

"Bois bach, ry'n ni'n crwydro nawr," meddai Llew'r efail. "Dewch chi'n ôl at y gatie a'r tai tyrpeg a beth allwn ni ei wneud yma yn Nyffryn Sawdde heno."

"Wel, fydd y porthmyn yma tra bydda i, wy'n siŵr o hynny," meddai'r tafarnwr. "Jawl ariôd, lle bydde'r hen Diwc of Wellington heb gig eidion o Gymru i fwydo'i filwyr e cyn Waterloo?"

"Ie, ond fe dda'th yr hen Ddiwc i'r llywodraeth yn Llunden, yn do fe? Ac yn glou iawn ro'dd e wedi anghofio am bethe bach fel 'na wedi iddo gyrra'dd fan'no."

"Fel yr anghofiodd e am ffwrneisi Merthyr ar ôl i'r rhyfel bennu," meddai Dan Dowlais. "Ro'dd pris da am harn Cymru pan o'dd isie canons, ond do'dd 'da nhw ddim i'w gynnig i ni wedyn. A do'dd dim llais 'da ni i gario'r neges i Lunden, nag o'dd e?"

"Sdim isie dod â politics i miwn i hyn, Dan," meddai gŵr wyneb crwn oedd â'i dir ar lawr gwlad Dyffryn Tywi. "Ca'l gwared â'r tollbyrth a chadw c'inog neu ddwy yn ôl yn ein pocedi ni, dyna i gyd y'n ni moyn."

"Ie – clywch, clywch."

"Nage fôt ni moyn ond y fwyell!"

"Ond alli di ddim osgoi mai politics yw gwreiddyn y drwg, bachan!" Roedd Dan ar ei draed yn awr. "Faint ohonon ni sydd â phleidlais yn y stafell hon? Dou neu dri falle? Sdim llais 'da ni ac felly do's neb yn talu sylw i'n probleme ni."

"Y gobaith yw, gyfeillion . . ." un o ddiaconiaid capel y Bedyddwyr yn y llan oedd ar ei draed bellach. Rhoddodd besychiad bach cyn mynd yn ei flaen yn hamddenol. "Y gobaith yw y bydd y protestiadau hyn yn tynnu sylw'r awdurdodau at anghyfiawnderau mawr yn y ffordd mae gwerin Cymru'n ca'l ei thrin. Wedyn, y gobaith yw y bydd y bobol dda sydd â grym yn eu dwylo yn pasio deddfau i newid pethau ac i leddfu tipyn ar ein gofidiau ni."

"Pobol dda?" Cododd Dan Dowlais ei lais. "Lle y'ch chi'n byw, ddyn! Pobol ddrwg sy miwn grym. Rhai breintiedig a chyfoethog y'n nhw. Ddaw dim daioni nes cael gwared arnyn nhw ac wedyn gawn ni well trefen."

"A shwt y'ch chi'n bwriadu ca'l gwared arnyn nhw, gyfaill?"

"Maen nhw'n crogi ein dyn'on ni!" llefodd Dan. "Bydde saethu un neu ddou ohonyn nhw'n eitha peth!"

Achosodd hynny dipyn o gynnwrf yn y stafell. Neidiodd Llew ar ei draed i geisio pwyllo'i fab.

"Do's dim siarad fel'na i fod yn yr ardal hon!"

"Ond mae rhai o Ferched Beca'n cario gynne," meddai Dan.

"I dynnu sylw, nid i ddwgyd bywydau," atebodd ei dad.

"Falle fod eisie anelu'r gynne at well targede – mae dyn'on drwg yn ein mysg ..."

"Dyna ddigon, Dan! Dim gair arall!"

Ond roedd wyneb Dan cyn goched â'i wallt erbyn hyn ac roedd wedi colli'i dymer yn llwyr.

"Wy'n gweud wrthoch chi, dyw'r dyn'on mowr sy'n dala'r awenau ddim yn deall dim ond ergyd …"

"Mas!"

Tawodd Dan a throi i wynebu'r gof.

"Mas!"

Bu eiliadau o dawelwch llethol. Yna trodd Dan a cherdded allan drwy ddrws y dafarn.

"Allwn ni ddelio 'da'n probleme yn ein ffordd ein hunen," meddai'r gof yn dawel pan gaeodd y drws. "Dyna yw Beca, yn dyfe?"

Dechreuodd y cyfarfod drafod y pynciau, pawb ar draws ei gilydd.

"Mae mwy o sens i ga'l yn yr ordd fach yma nag ym mhennau rhai o'r pennau defed yna lan y stâr," meddai Tegwen Rees wrth ei gŵr pan oedd y ddau ohonyn nhw i lawr yn y seler.

"Mae'n sang-di-fang yno," cytunodd Brython. "Pawb yn ca'l gweud beth mae e moyn. Pawb â'i fys ar ei ddolur ei hunan."

"Rhaid i ni wneud yn siŵr ein bod ni'n cadw mas o hyn, Brython," siarsiodd ei wraig. "Dyw e ddim yn beth da i fusnes."

"Allwn ni ddim mynd yn gro's iddyn nhw chwaith, Tegwen. Ry'n ni'n rhan o'r ardal 'ma. Mae'r bobol hyn yn gwsmeriaid …"

"Ond porthmyn yw'n prif gwsmeriaid ni. A dy'n nhw ddim yn achwyn."

"Wedi dewis yr ateb caled maen nhw." Roedd Gwyndaf wedi dod i lawr y grisiau gyda jwg wag erbyn hyn ac yn ymuno yn y trafod. "Niwl a glaw a chorsydd mynydd yw ffyrdd y porthmyn am eu bod yn gorfod osgoi ffyrdd y dyffrynnoedd."

"Dyna'u trefen nhw ers canrifoedd," meddai Brython. "Y tir uchel a'r bylche oedd yr unig ffordd i deithio cyn iddyn nhw sychu'r tir isel a chodi pontydd."

"Dwyt ti ddim yn mynd 'da nhw heno, wyt ti, Brython? Jâl Caerfyrddin fydd ei diwedd hi! A ninne yn y wyrcws."

"Af i ar ran y teulu, os y'ch chi moyn," meddai Gwyndaf. "Bydd digon o dyrfa a fydd neb yn nabod ni, ac mae'r Dragŵns ym Mhumsaint a ..."

"Nagw't ddim yn mynd! Ti'n rhy ifanc!" meddai Tegwen.

"Fi gâth fy ngeni gynta o'r ddou ohonon ni. Odw i'n ddigon hen i fynd 'te, Mam?" Daeth Elin i lawr y grisiau.

"Merch wyt ti, Elin, a do's dim lle i ferched yn y pethe hyn! Shwt alli di gynrychioli'r teulu? Gad e i'r dyn'on."

"Dim merched ym Merched Beca, Mam?"

"Cwrw! Mae'r llwnc wedi mynd yn sych wrth y fordydd ac ry'n ni'n cael trafferth i ga'l y geirie mas!" gwaeddodd un o'r cwsmeriaid o ben grisiau'r seler.

Brysiodd Tegwen Rees i fyny'r grisiau gyda dwy lond jwg o gwrw. Gwisgodd wên ar ei hwyneb wrth fynd drwy'r drws pen grisiau i stafell y dafarn.

Roedd y gof ar ei draed erbyn hyn yn esbonio beth oedd cynllun y noson.

"Ry'n ni'n cyfarfod am hanner nos ar groesffordd Rhyd-y-saint. Fe allwch chi gyrra'dd fan'ny o sawl cyfeiriad heb wynebu'r un gât. Bydd huddygl ar wyneb pob un ohonoch chi. Gwisgwch ddillad merched y teulu. Bonet neu rywbeth am eich pen. Do's dim isie i unrhyw un ga'l ei adnabod. Os o's 'da chi 'chydig o wellt, plethwch wallt melyn i'ch hunan o dan y bonet."

"Faint o fwyd fydd i'r fwyell heno 'te?" holodd un o'r cefn.

"Dim ond un gât. Dyna'r gorchymyn. Dim ond dechre'r frwydr yw hon. Mae criw arall yn ca'l gwared ar un gât yn Lland'ilo; ry'n ni'n gneud yr un peth yn Llangadog. Bydd e'n dangos nerth. Bydd e'n tynnu'r pwyse oddi ar fois y gorllewin. Bydd pethe'n twymo yng Nghwm Gwendraeth a Dyffryn Llwchwr yn glou. Mae'r Dragŵns yn ddigon pell heno a smo nhw'n mynd i wybod ble i droi nesa."

"Pa gât fydd hi 'te?"

"Gât Castell Meurig ar bwys y bont. Dewch â bwyeill, llif, ambell ordd drom, trosolion. Bydd y cyfan yn yfflon miwn dim."

"A beth am y tolldy?"

"Byddwn ni'n whalu'r to. Fydd neb yn gallu byw ynddo fe wedyn."

"Tân sy isie!"

"Whalu'r to," meddai'r gof yn bendant.

"Lle mae'r ceffyl gwyn ar gyfer Beca 'te?"

"P'idwch poeni am hynny, wy wedi trefnu i ga'l un," meddai Llew.

"Ond alla i ddim meddwl bod un i'w ga'l ffordd hyn ..."

"Yn nes nag wyt ti'n ei feddwl," meddai'r gof. "Mae e'n

pori yng nghomin Coed yr Arlwydd ar hyn o bryd."

"Merlyn y jipo! Allwn ni ddim rhoi Beca ar ferlyn un o'r ..."

"Mae gan bawb yr hawl i deithio'n rhydd," meddai Llew gan ddal ei law yn yr awyr. "Mae teulu'r Lees yn rhan o'n hen ffordd ni o fyw yn yr ardal hon. Maen nhw gyda ni. A wy moyn gweld un o bob teulu, un o bob tŷ ar y groesffordd yn Rhyd-y-saint am hanner nos. Ar y ffordd gatre, galwch heibio'r cymdogion. Gwedwch wrthyn nhw bod corn Beca'n galw. Wy moyn gweld gorymdaith fawr, swnllyd o Ryd-y-saint i Lan Sawdde."

"Odyn ni'n dod â dryllie?"

"Dim ond i'w saethu yn yr awyr," meddai'r gof. "Do's dim targed arall. Dim ond i greu sŵn a chreu ofon. Do's neb yn siomi Beca, yn nag o's, Ferched?"

"Nag o's, Mam!" Unodd lleisiau'r dafarn yn un côr swnllyd.

Cydiodd un o'r bois mewn corn hela ar wal y dafarn a seinio cyfres o nodau hir drwyddo.

"Ewch gatre i baratoi, Ferched! Fyddwch chi'n barod?"

"Byddwn, Mam!"

"Fyddwch chi'n swnllyd, Ferched?"

"Byddwn, Mam!"

"Fydd hawch ar y fwyell, Ferched?"

"Bydd, Mam!"

A chan weiddi a chwerthin, cododd y cwsmeriaid a throi am y drws.

Wrth glirio'r byrddau, Tegwen Rees oedd fwyaf siaradus.

"Dyn'on yn eu hoed a'u hamser yn whare dwli, yn mynd 'nôl i ymddwyn fel cryts ifanc ar nos Calan Gaea'. Dyna i gyd yw e. Tipyn bach o anterliwt ar ddiwrnod ffair."

"Mam! Mae'r achos yn un difrifol. Mae teuluoedd yn ca'l eu troi mas o'u ffermydd ..."

"Wy'n gwbod bod arian yn brin, Gwyndaf. Ond mae isie i bawb w'itho dipyn bach caletach a byw tipyn bach yn symlach a ..."

"Fydden nhw ddim yn dod yma i'r dafarn am dipyn o hwyl wedyn, yn na fydden nhw, Mam?"

"Fyddwn ni'n iawn," meddai Tegwen yn siarp. "Ry'n ni wastad wedi gofalu droston ni'n hunen. O, a rhyw wisgo lan miwn dillad menywod!"

Ar hynny, dyma Elin i lawr o'r llofft a llond ei chôl o beisiau gwyn a hen siôl wlân.

"Dyma chi, Dad!" meddai, a'u taenu dros y ford. Tynnodd fonet o boced ei ffedog. "A hwn am eich pen! O's gwobr i'r Ferch bertaf?"

"Brython, smo ti'n mynd! Gwed wrthi!"

Eisteddodd Brython yn dawel wrth y ford gan fyseddu'r dillad.

"Do's neb yn digio Beca neu bydd hi ar ben arnon ni yn y dafarn."

"Beth sy wa'th 'da ti – tynnu Beca yn dy ben neu tynnu'r Eglwys a'r awdurdode yn dy ben? Nhw sy berchen y dafarn a'n bywoli'eth ni, cofia di hynny!"

"Do's dim dewis, Tegwen. Merched Beca sy'n rheoli'r cwm heno."

"Wel os taw merch wyt ti, gei di gliro'r fordydd 'ma dy hunan heno!" Aeth Tegwen drwy'r drws ac i fyny'r grisiau fel storm.

"Gwyndaf, cer i grafu dipyn o huddygl oddi ar wal gefen y simne fawr, wnei di?" meddai Elin.

Pennod 8

"Mae cwnstablied wedi bod yn y llan – dou ohonyn nhw! Maen nhw newydd fynd dros Bont Carreg Sawdde."

Dyna'r newydd pryderus oedd gan Gwyndaf i'w rannu ar ôl bod ar neges yn Llangadog fore drannoeth.

"O! Dyma'i diwedd hi!" llefodd ei fam. "Ro'n i'n gwbod na ddôi dim da o herio'r drefen! Mae'n rhaid i ni wbod ein lle yn yr hen fyd 'ma."

"Holi am Beca yn whalu Gât Castell Meurig maen nhw," meddai Gwyndaf. "A chi'n gwbod beth? Cafod gât ei malu'n yfflon yn Lland'ilo neithiwr 'fyd. Gât y Wâc ..."

"... yn union wrth y fynedfa i Blas Newydd Dinefwr! Dan drwyn yr Arglwydd Dinefwr a'r Dragŵns!" meddai Elin yn gyffro i gyd.

"Ody'r dillad oedd Dad yn wisgo neithiwr wedi'u golchi?" gofynnodd Gwyndaf. "Maen nhw siŵr o fod yn huddygl ac yn sblinters y gât drostyn nhw i gyd."

"Godes i'n gynnar i'w golchi nhw," meddai Tegwen. "Maen nhw mas yn sychu."

"A' i i'w casglu nhw a'u cwato yn y cwt bach," meddai Elin. "Bydde peisiau ar y lein yn gollwng y gath o'r cwd!"

"Y fwyell oedd 'dag e – cer i olchi honno a'i chwato hi yn y sgubor o dan yr arfe eraill," meddai Tegwen wrth Gwyndaf.

"Ewch chithe i roi dŵr a sebon unweth eto dros ei wyneb e," meddai Elin. "I wneud yn siŵr nad o's dim huddygl yn cuddio yn rhywle. Lle mae e?"

"Lawr yn y seler. Af i nawr ..."

"Wy'n mynd i rybuddio Anna a'r teulu," meddai Elin. "Mowredd annw'l – 'da nhw mae'r merlyn gwyn!"

Brysiodd i lawr y llwybr drwy'r caeau i Bont Goch. Roedd Nest Morgan y tu fas i'r bwthyn.

"Bore da, Nest. Shwt y'ch chi heddi a shwt mae Edryd Morgan? Gesoch chi eich styrbo gan stŵr y cyrn a'r gweiddi ar yr hewl hyn ar ôl hanner nos?"

"Fe fydd Edryd mas o'r tŷ gyda hyn. Ond poenus yw ei go's e o hyd. Dyw'r asgwrn ddim wedi asio'n iawn. Wy'n poeni na all e fynd yn ôl i dorri co'd. A na, chlywes i ddim byd neith'wr – wy'n cysgu fel hwch miwn haidd."

"Mae cwnstablied yn y llan. Falle do'n nhw ffordd hyn i'ch holi chi."

"Chlywes i ddim yn y byd," meddai Nest, gan godi ei gên yn uchel ac yn styfnig. "Ac yn sicr, weles i ddim byd. Y'ch chi'n siŵr mai ffordd hyn yr aethon nhw?"

Ymarfer ei geiriau ar gyfer y cwnstablied mae hi, meddyliodd Elin. Mae hi'n fenyw lew, whare teg.

"Wy'n gorfod bwrw ml'an," meddai'n uchel. "Cofiwch fi at Edryd Morgan."

Croesodd yr hewl a dringo'r codiad tir at y fynedfa i'r bompren. Synnodd o weld fod Dan Dowlais ar y bont mor gynnar, yn cerdded i'w chyfarfod.

"Ody'r cwnstablied wedi gad'el comin Carreg Sawdde eto, Dan?"

"Pa gwnstablied yw'r rheiny, Elin?"

"Gwyndaf dda'th â'r newyddion fod dou gwnstabl o

Gaerfyrddin wedi bod yn holi am Beca yn y llan."

"O sa i'n gwbod dim byd am hynny. Mas am wâc i ga'l mwg yr efel o 'mrest ydw i."

"Wy ar hast. Hwyl."

Pasiodd Elin heibio iddo gan anelu am y cae o dan gomin y coed. Cyn camu oddi ar y bompren, edrychodd i lawr yr afon i'r dde a gweld bod dau gwnstabl eisoes yn cyrraedd tro'r Bont Goch ar eu ceffylau. Oedodd. Sylwodd fod Nest Morgan wedi diflannu yn ôl i mewn i'r bwthyn.

Yna, er syndod iddi, gwelodd fod Dan Dowlais wedi camu i lawr o'r bompren, wedi cerdded at yr hewl a sefyll o flaen y cwnstabliaid. Pam na fyddai e wedi aros ar y bont a chwato? meddyliodd. Roedd cryn drafod yn mynd mlaen rhwng mab yr efail a'r swyddogion. Gwelodd fod Dan yn troi ac yn pwyntio i gyfeiriad Coed yr Arlwydd – ac yna'n pwyntio at y llwybr tywyll o'r hewl fawr at y bompren. Daeth y ddau gwnstabl i lawr oddi ar gefn eu ceffylau.

Y mwnci dwl, meddyliodd. Mae e'n eu cyfeirio nhw at deulu'r Lees. Oedd e'n wenwynllyd o hyd ar ôl cael ei dowlu mas o'r cyfarfod yn y dafarn y noson cynt? Sylweddolodd Elin y byddai'n rhaid iddi eu rhybuddio ar frys. Rhuthrodd oddi ar y bont a dechrau rhedeg ar draws y cae helaeth. Ceisiodd gofio cyfarwyddiadau Anna yn y ras ar gomin Carreg Sawdde.

Ym mhen pella'r cae, roedd ffordd las yn codi'n serth rhwng y coed i'r comin. Anadlodd Elin yn gyson, yn fyr ac yn gyflym, a chymryd camau mân, clou nes cyrraedd y fforch. Trodd i'r chwith ac ar y gwastad wedyn nes cyrraedd y llannerch agored. Roedd teulu'r sipsiwn yno i gyd, a dim golwg o gyffro ar yr un ohonyn nhw.

"Cwnstablied!" gwaeddodd. "Maen nhw ar eu ffordd yma o gyfeiriad y Bont Goch."

"Ry'n ni'n eu dishgw'l nhw, Elin fach," meddai Jorjo. "Dyw e ddim yn beth dierth i ni gael ein holi gan gwnstablied."

"Dyn'on y traed mawr," ychwanegodd Mari Lee.

"Gest ti dy stopo ganddyn nhw, Elin?" gofynnodd Anna.

"Na, ro'n i ar y bompren – ar fy ffordd i roi gwbod i chi." Gwyddai Elin oddi wrth ei thad fod Jorjo a Tom wedi ymuno â'r Merched neithiwr. Gwelodd nad oedd unrhyw ddillad yn sychu ar y llwyni eithin y bore hwnnw.

"Dicw!" meddai. "Rhaid ichi wneud rhywbeth amdano fe! Byddan nhw'n bownd o fod yn holi am ferlyn gwyn."

"Ond mae Dicw ni'n gloff," meddai Jorjo. "Mae e fel hyn ers ffair geffyle Llanybydder. Ges i fy nhwyllo gan ryw Gardi i dalu crocbris am ferlyn teirco's ..."

"Pobol y llyged sofrins," meddai Mari.

"Mae e wedi bod yn hercan ers Cil-y-cwm. All y cwnstablied yma ofyn i'r Dragŵns – welon nhw shwt siâp oedd arno fe nos Sul pan oedden ni'n cyrraedd y llannerch 'ma."

"Ei garn e wedi bod miwn dŵr harn byth ers hynny," meddai Mari.

Ymarfer eu drama mae'r rhain hefyd, meddyliodd Elin. Trodd i edrych ar Dicw a gweld ei fod wedi'i rwymo wrth gangen a'i garn mewn bwced. Fe fentrai hi fod lliw haearn ar y dŵr hefyd.

"Fe alla i ei gerdded e o amgylch y coed 'ma a dangos pa mor gloff yw e," meddai Tom.

"Ond ddim yn rhy bell, rhag i'r cloffni waethygu," meddai Jorjo.

Agorodd Elin ei llygaid yn fawr. Sut ar y ddaear oedd hynny'n bosibl?

"Dail y goeden bigog," esboniodd Mari, gan roi winc ar Elin.

"Dail celyn?"

"Dim ond dwy fach. O dan y carn. Ddim digon i roi poen i'r anifail ond yn ei bigo'n ddigon anesmwyth iddo fe ymddangos ei fod e'n gloff os bydd e'n rhoi ei bwysau arnyn nhw."

"Ry'ch chi'n barod amdanyn nhw, mae'n amlwg!" meddai Elin. "Mae sŵn rhywun yn cyrraedd ar lwybr y coed. Nhw y'n nhw, bownd o fod. Af i lan i'r ffordd uchaf ac yn ôl am Ryd-y-saint. Wela i chi cyn nos."

Wrth gerdded gartref ar ei phen ei hun, trodd Elin y cyfan a welodd yn ei meddwl ac roedd hi'n mynnu dod yn ôl at yr olygfa rhwng Dan a'r cwnstabliaid o hyd. Roedd hi'n amlwg ei fod wedi rhoi gwybodaeth bwysig iddyn nhw. Ond pam? Fe allai e fod wedi peryglu Jorjo a'r teulu. Dyna lwc eu bod nhw wedi paratoi a bod gyda nhw stori dda. Beth oedd y tu cefn i'r cyfan?

Pan gyrhaeddodd Dafarn y Wawr, aeth i chwilio am ei thad ac adrodd yr hanes wrtho. Roedd yn gorffen clirio stafell y cwsmeriaid.

Eisteddodd Brython wrth un o'r byrddau a rhwbio'i ên.

"Mae rhywbeth yn wahanol yn Dan ers iddo fe ddod 'nôl o Ferthyr a'r gw'ithe harn," meddai yn y man. "Roedd e yno adeg y trwbwl mawr ddeuddeng mlynedd yn ôl pan yrron nhw'r Milisia a'r milwyr traed a'r cwbwl yn erbyn y gweithwyr. Ond do'dd bois y ffwrneisi a'r glowyr ddim yn ildio ar whare bach. Aeth hi'n golli gwaed yno. Saethodd y milwyr at y dyrfa gan ladd un ar bymtheg ohonyn nhw, ac fe laddwyd un o'r milwyr yn y terfysg 'fyd. Fe grogwyd Dic Penderyn am hynny – ar gam, medde Dai. Fe dda'th e 'nôl i Langadog wedyn, ond fe dda'th e 'nôl â Dowlais 'dag e. Ac nid miwn enw yn unig. Mae rhyw gyfrinach 'dag e am y cyfnod hwnnw."

Wrth wneud ei gwaith y bore hwnnw, roedd stori ei thad am hanes Dan yn rhyw droi ym mhen Elin drwy'r adeg. Beth os oedd gan y cwnstabliaid ryw afael ar Dan a'u bod nhw'n gallu gwasgu gwybodaeth mas ohono fe? Ond roedd Dan mor danllyd â neb o blaid Beca. Eto, ai drama fawr oedd hynny? Ai ffordd o'i gael ei hun i ganol y criw a chasglu gwybodaeth? Ond ei dad e'i hunan oedd y Beca yn yr ardal hon! Falle taw taflu'r golau ar eraill er mwyn arbed ei dad oedd ei gêm e? Eto, doedd Dan a'i dad byth yn gweithio yn yr efail ar yr un pryd. Oedd rhyw oerni rhyngddyn nhw? Oedd Llew Lewis yn gwybod rhywbeth am orffennol ei fab, falle? Roedd pob cwestiwn yn arwain at gwestiynau eraill ym meddwl Elin. Ond hwn oedd y cwestiwn mwyaf un – a oedd Dan Dowlais yn fradwr i achos y Beca? Penderfynodd y byddai'n rhaid iddi gadw golwg fanwl ar fab yr efail.

Ar ôl cinio, penderfynodd fynd i lawr y llethrau i Langadog i weld a oedd rhywbeth i'w weld yno. Croesodd o hewl Cae-rhyn i lwybr comin Carreg Sawdde. Wrth nesu, gallai weld o'r llwybr yn y cae fod gweithwyr y Tryst eisoes yn gosod bar ar draws yr hewl wrth y tolldy lle bu Gât Castell Meurig. Gwelai olion coed yr hen gât yn goed tân ar yr hewl a thomen o ddarnau mân ym mola'r clawdd. Ond fydden nhw ddim yn hir cyn dechrau codi arian y tollau eto, meddyliodd.

Roedd tri neu bedwar o weithwyr eraill yn codi bwndeli o wellt i osod to newydd ar y tolldy. Byddai'r gŵr a'r wraig oedd yn agor a chau'r gât yn ôl wrth eu gwaith cyn nos, meddyliodd. Adnabyddodd Elin y gŵr ar y ceffyl llydan oedd yn cadw golwg ar y cyfan ac yn pwyntio at un neu ddau o'r gweithwyr bob hyn a hyn ac yn cyfarth cyfarwyddiadau. Sarff y stad oedd e, y stiward gyda gwar fel bustach. Beth oedd ei enw hefyd? Bishop! Gwenodd wrth gofio'r dyrfa yn ei wawdio yng nghefn y White Horse.

Ond fe oedd ar gefn ei geffyl heddiw, meddyliodd Elin. Doedd dim wedi newid. Edrychodd draw i gyfeiriad y bont dros afon Sawdde. Gwelai fod y dyn bach blin oedd yn cadw'r gât ar dyrpeg y bont y tu fas i'w ddrws yn edrych draw ar yr olygfa. Mae'n siŵr ei fod e wedi ca'l tipyn o ofn pan glywodd e'r cyrn a'r drylliau yn oriau mân y bore. Roedd e, siŵr o fod, yn meddwl mai fe fyddai'n ei cha'l hi wedyn. Beth wnaeth e gyda'i blant, tybed, meddyliodd Elin. Gwelodd fod y rheiny'n chwarae'n hapus yn nŵr yr afon y prynhawn hwnnw. Welon nhw ddim byd, siŵr o fod.

Roedd gŵr yn dod dros y bont. Hwn eto – Dan Dowlais. Gwyliodd Elin ei gerddediad ar hyd yr hewl nes cyrraedd hewl Llangadog i'r Mynydd Du. Edrychodd lan a lawr y ffordd cyn troi am y llan. Mae e'n mynd i basio'r tŷ tyrpeg, meddyliodd Elin gan ffaelu credu ei llygaid. Mae e'n dod 'nôl at y fan lle'r oedd y terfysg, o dan drwyn stiward y plas!

Gwelodd Elin fod Bishop yn codi'i ben ac yn edrych o'i gwmpas oddi ar gefn ei geffyl. Edrychodd tua'r pentref a lan yr hewl am y Bont Goch. Trodd at y gweithwyr ar y to a chyfarth 'chydig o eiriau, a daeth y criw i lawr a chroesi'r hewl a dechrau clirio darnau'r hen gât i gart yr ochr arall i'r ffordd.

Arwyddodd Bishop ar Dan i fynd i mewn i'r tolldy. Taflodd yntau un cip arall lan a lawr yr hewl ac yna daeth oddi ar gefn y march cyn diflannu ar ôl Dan i mewn i'r tolldy.

Beth sydd gyda'r ddau ohonyn nhw i'w drafod, tybed? meddyliodd Elin. Roedd clawdd rhyngddi hi a'r hewl fawr a dechreuodd glosio at y tŷ. Wrth iddi ddod yn nes at Bont Carreg Sawdde, roedd y llwybr yn ymuno â'r hewl, ond trodd Elin i gae arall oedd yn mynd â hi am y clawdd a waliau'r tolldy. Gallai glywed lleisiau'r ddau yn y tŷ bychan. Roedd rhan o'r to yn dal yn agored a gallai glywed rhai geiriau'n glir erbyn hyn. Ond Saesneg oedd yr iaith! Byddai Dan wedi dysgu siarad Saesneg tra bu'n gweithio yn y ffwrneisi, meddyliodd Elin. Clustfeiniodd, ond doedd hi ddim yn gallu dilyn rhediad y sgwrs. Eto, gwyddai ar oslef y ddau nad cwmpo mas oedden nhw. Roedden nhw'n deall ei gilydd, meddyliodd.

Yna clywodd enw cyfarwydd.

"... Pumsaint ..." Dyna roedd Dan wedi'i ddweud. Roedd y Dragŵns wedi bod ym Mhumsaint. Ond doedd dim ymosodiad gan Beca yno. Siwrnai wag oedd honno i'r Dragŵns. Eto, oedden nhw'n disgwyl y byddai Beca a'i Merched yn chwalu gatie yno'n fuan? Clustfeiniodd eto, ond roedd y geiriau Saesneg yn llifo heb synnwyr drwy'i chlustiau. Yna, daliodd ar air arall roedd hi'n gyfarwydd ag e.

"... tomorrow ..."

Dan oedd yn siarad eto. Yfory oedd ystyr hynny – gwyddai Elin gymaint â hynny. Ond beth oedd y cyfan yn ei olygu? Ac yna dyna air cyfarwydd arall.

"... midnight ..."

Ganol nos, meddyliodd Elin. Clywodd lais Dan yn codi fel pe bai'n pwysleisio'r cyfan.

"... Pumsaint ... tomorrow ... midnight ..."

Ac yna un gair roedd Elin yn deall ei arwyddocâd ar unwaith.

"... Beca ..."

Ar ôl hynny i gyd, clywodd frawddeg gan Bishop ac roedd y gair olaf eto'n ddealladwy iddi.

"... Go!"

Clywodd sŵn Dan yn gadael y tolldy. Ymhen tipyn, clywodd draed Bishop yn gadael ac mae'n rhaid ei fod wedi galw'r gweithwyr yn ôl i orffen y to gan fod rhai'n dechrau dringo'r ysgolion eto.

Rhaid i fi adael. Alla i ddim cael fy nal yn cuddio fan hyn, meddyliodd Elin. Sleifiodd o'r cae ac yn ôl am lwybr y llethrau.

Ond i ble'r âi? At bwy yr âi i ddweud yr hanes? Roedd un peth yn amlwg iddi. Roedd Merched Beca ym Mhumsaint nos yfory – os oedd cyrch wedi'i gynllunio – mewn perygl dirfawr o gael eu dal.

Pennod 9

Noson anesmwyth oedd honno i Elin. Bu'n troi a throsi ar ôl mynd i'w gwely, a'r geiriau a glywodd o gefn y tolldy yn codi pen tost arni. Cyn y bore, syrthiodd i ryw gwsg aflonydd yn llawn hunllefau. Gwelodd ei hun ar gefn Dicw'r merlyn yn carlamu ar hyd Comin Carreg Sawdde, ei gwallt melyn llaes yn cyhwfan yn y gwynt y tu ôl iddi, a hanner cant o'r Dragŵns ar ei hôl, pob un â'i gleddyf noeth o'i flaen. O! roedd golwg filain ar eu hwynebau. Carlamai i gyfeiriad efail Llew Lewis. Safai'r gof o flaen yr efail gyda morthwyl mawr yn ei law, yn troelli hwnnw'n wyllt er mwyn ei hannog i garlamu'n gynt. Trodd Elin ben y merlyn am yr afon. Gwelodd y bont o'i blaen. Ond roedd y gât wrth dollty'r bont wedi cau. Roedd rhywun yn dod mas o'r tolldy – ond nid y dyn bychan gyda'r het galed oedd e. Dan Dowlais oedd e! Ac roedd e'n pallu agor y gât iddi, yn dala ei law mas am bedair c'inog! Trodd ben Dicw eto am y pwll yn yr afon wrth ymyl y bont ... ond roedd plant y tolldy yn nofio yn hwnnw!

Dihunodd. Agorodd ei llygaid. Gorweddodd ar ei chefn am ychydig. Oedd yr hyn roedd hi wedi'i weld a'i glywed yn bethau y dylai hi eu rhannu gyda rhywun? Gwyndaf? Ond beth allai ef ei wneud? Ei thad? Doedd e ddim eisiau cael ei ddynnu i mewn i achos Beca – doedd ei galon ddim yn y gwaith. Ei mam? Na! Jorjo a'r teulu? Roedd rhai yn eu gweld nhw fel pobl y tu fas i'r ardal a byddai rhai'n amheus. Llew yr efail? Fe oedd Beca'r ardal ... Roedd e a'i fab wedi cwmpo mas yn wael ac yn gyhoeddus. Ond roedd e'n dad i Dan drwy'r cyfan! Jac y Plow? Ond shwt ar y ddaear allai hi gael yr amser a'r esgus i deithio chwe milltir yno a chwe milltir yn ôl? Gŵr y crafat du ...? Wyddai hi mo'i enw na dim arall amdano, ond roedd e yng nghanol pethe ...

Fel hyn y bu Elin yn hel meddyliau. Doedd dim amdani ond codi a wynebu'r dydd, meddai wrthi'i hun. Byddai rhywbeth yn siŵr o ddangos y ffordd iddi, dim ond iddi ddechrau gwneud rhywbeth yn lle gorwedd yn ei gwely.

Roedd ei thad wrthi'n clymu'r gaseg rhwng breichiau'r cart ar y clos.

"Lle chi'n mynd 'te?" gofynnodd iddo. "Y'ch chi'n moyn help llaw?"

"Na, na ... fydda i'n iawn, diolch i ti. Ti'n gwbod shwt mae hi. Anfon pethe i'r fan a'r fan ..."

"Allen i neud gyda newidiaeth fach ..."

"Na, dyw hi ddim yn daith y bydda i dy angen di, Elin."

"Lle chi'n mynd 'te?"

Ond cario mlaen â'r gwaith o baratoi heb ateb ei ferch wnaeth Brython Rees.

Aeth Elin yn ôl i'r tŷ a chyn hir gwelodd ei thad yn y cart yn bwrw bant o'r clos.

"Lle mae Dad yn mynd heddi, Mam?"

"O, jobyn o waith i rywun arall, dyna i gyd. Dere i helpu gyda'r bara 'ma. Mae angen tylino'r toes a fyddwn ni'n gynt os bydd dwy ohonon ni wrthi. Bydd y ffwrn fowr yn barod i grasu erbyn y bydd y rhain wedi codi."

Wedi gorffen gyda'r bara, roedd Elin wedi gwneud ei

phenderfyniad. Aeth i chwilio am ei brawd a'i gael yn hogi pladuriau at y cynhaeaf yn yr ysgubor.

"Dere 'da fi, Gwyndaf. Wy moyn mynd i weld Jorjo a'r teulu."

"Wel, fydd Dad ddim 'nôl tan yr hwyr, medde fe. Felly, mae gyda fi ddigon o amser i fennu'r rhain nes mla'n."

Cadwodd Gwyndaf yr offer ac mewn dim roedd y ddau'n cerdded i lawr drwy'r caeau.

"Ble'r oedd Dad yn mynd â'r cart 'te?" gofynnodd Elin.

"Wedodd e ddim yn iawn. Jobyn i Richard Chandler, Rhingyll y Plwyf neu rywbeth ..."

"Y plwy?" Crychodd Elin ei thalcen. "Yw e wedi dechre casglu'r degwm i'r eglwys neu rywbeth? Dyna yw gwaith y dyn Chandler 'na, yn dyfe?"

"Ie, ond na, ddim am wn i. Ta p'un, arian nid nwydde yw'r degwm erbyn hyn."

"Ie, ac mae'n anoddach i lawer dalu miwn arian parod."

Daeth neges gudd eu tad yn amlwg i'r ddau wrth iddyn nhw gyrraedd y Bont Goch a'r bwthyn. Yno, roedd rhai o weithwyr y stad yn cario'r dodrefn mas o'r bwthyn a'u gosod yng nghart eu tad. Ar ganol y ffordd, roedd stiward y stad ar gefn ei geffyl du yn goruchwylio'r gwaith.

"Bishop! Alla i ddim credu'r peth! Mae Dad yn gweitho i Bishop, y blagard hwnnw o bawb!"

"Beth maen nhw'n ei wneud?" gofynnodd Gwyndaf mewn dryswch. "Maen nhw'n gwacáu'r bwthyn ..."

Roedd ei thad yn dal pen y gaseg wrth i'r gweithwyr lwytho'r cart. Wrth gefn y cart safai gŵr main, tal mewn cot laes ddu.

Gwyddai Elin mai Richard Chandler, swyddog yr arian ym mhlwyf Llangadog oedd hwnnw. 'Y sarff' roedd rhai yn ei alw yn y plwyf. Roedd ganddo wyneb cul esgyrnog a llygaid cul, cul – yn union fel neidr. Wyneb nad oedd yn gallu gwenu – roedd yn cymryd ei waith o ddifri. Ei bleser oedd mynd o ffarm i ffarm i gasglu treth a degwm yr eglwys. Roedd yn mwynhau gweld y Cymry lleol yn gwingo wrth dalu arian i'r eglwys, er mai yn y capeli yr oedden nhw'n aelodau. Gallai ddeall a siarad Cymraeg yn dda – ond wedi'i ddysgu er mwyn gwybod beth oedd busnes pawb yn y plwyf yr oedd e. Fe oedd yn cadw trefn yn y pentref, yn grac wrth blant ac yn llym ei dafod wrth ambell un oedd wedi cael diferyn yn ormod ar nos Sadwrn neu ar ddiwrnod ffair. Roedd rhai yn dweud bod ganddo gell yn nhŵr yr eglwys lle byddai'n cloi ambell un dros nos. Richard Chandler hefyd oedd yn gofalu nad oedd y tlodion yn niwsans ar y plwyf.

"Dad! Dad!" llefodd Elin. "Ble mae Edryd a Nest Morgan? Pam eich bod chi'n cliro'r lle? A pham eich bod chi yma i ddechre arni? Y'ch chi'n rhoi help llaw i'r bleiddiaid 'ma i dowlu dou miwn oedran oddi ar yr aelwyd?"

"Gan bwyll nawr, Elin," meddai'i thad a golwg ci lladd defaid yn ei lygaid. "Do's a wnelo fi ddim byd â beth sy'n digwydd man hyn. Dim ond cario wy'n ei wneud ..."

"Yr un peth yw'r diafol a gwaith y diafol, Dad!"

"Bydd yr arian fydd i'w ga'l am werthu'r dodrefn yn mynd i ofalu am Edryd a Nest ..."

"I ofalu ... Smo nhw moyn dodrefn ble bynnag maen nhw'n mynd 'te?"

"Elin fach, roedden nhw'n ffaelu talu'r rhent. Do'dd dim

gob'eth y bydde Edryd yn gw'itho 'to ... Mae'r stad moyn rhentu'r bwthyn i rywun arall ..."

"Ond gw'itho i'r stad o'dd Edryd pan ddisgynnodd y goeden a whalu'i go's e! Ac mae'n nhw'n ca'l eu troi mas o'u catre nawr. Ac yn wa'th na dim, dyma lle ry'ch chi'n eu helpu nhw i wneud eu gwaith brwnt!"

"Hisht nawr, tipyn o barch. 'Co'r ddou ohonyn nhw'n dod mas."

Gwelodd Elin y cwpwl yn dod mas drwy ddrws y bwthyn. Roedden nhw'n edrych ugain mlynedd yn hŷn na phan oedd hi wedi'u gweld ddiwethaf. Roedd cloffni Edryd yn ysgwyd ei holl gorff erbyn hyn ac ni allai symud heb bwyso'n drwm ar fraich Nest. Cerddodd y ddau at gart bach ysgafn du oedd yn sefyll yr ochr draw i Bishop ar ei geffyl.

Dyma'r tro cyntaf i Elin sylwi ar y cart du.

"Pwy biau'r cart du, Dad?"

"Wyrcws Llan'dyfri," meddai Gwyndaf a lwmp yn ei wddw. "Wy wedi'i weld e'n cario teulu mas o dai bach Hewl y Llan cyn heddi."

"Wyrcws Llan'dyfri!" ffrwydrodd Elin. "Dad! Ry'ch chi'n helpu'r cŵn yna i hysian y ddou ohonyn nhw i'r wyrcws? Y bradwr!"

"Nadw ddim, a phaid ti byth â gweud hynny eto, groten," meddai Brython, a geiriau ei ferch yn amlwg wedi cyffwrdd â briw agored. "Do's a wnelo fi ddim byd â nhw na'r wyrcws. Cario'r dodrefn wy'n ei wneud a ..."

"A mynd â nhw i'w gwerthu. A ble fydd yr arian yn mynd? I bocedi'r rhai sy'n rhedeg y wyrcws yn Llan'dyfri. Fydd Edryd a Nest ddim yn gweld c'inog."

"Bydd e'n mynd at eu cynnal nhw – llety, bwyd ..."

"Nhw fydd yn cynnal eu hunen, Dad. Smo chi wedi clywed shwt mae hi yn y tlotai hyn! Brecwast hanner awr wedi whech a gwely am wyth a gw'itho deng awr y dydd. All Edryd druan ddim sefyll ond byddan nhw'n ei roi e ar stôl i dorri co'd tân drwy'r dydd, bob dydd ..."

"Wel, o leia mae e wrth ei fodd yn trin co'd ..."

"A bydd Nest druan yn gorfod datod rhaffe tar er mwyn gwneud llanwad i'w rhoi rhwng estyll pren ar longe – a bydd ei dwylo'n friwie ac yn wa'd ac yn greithie i gyd, a'i bysedd yn gam miwn dim ..."

"Ond o leia fyddan nhw'n ca'l bwyd a ddim yn llwgu ..."

"Bwyd wedoch chi, Dad? Cawl dŵr ac uwd tenau! Ond yn wa'th na'r cyfan, pan fyddan nhw'n cyrra'dd wyrcws Llan'dyfri heddi, bydd Nest yn mynd i stafell ar y 'with ac Edryd i stafell ar y dde. A 'na fe, fyddan nhw byth yn gweld 'i gilydd 'to. Byth!"

Doedd gan ei thad ddim ateb i'w gynnig i hynny.

"O, Dad! Yr hen gachgi llygad y g'inog â chi!"

Rhedodd Elin i lawr yr hewl, heibio'r siwt frown a'r het galed ar y ceffyl ac at du ôl y cart du. Estynnodd ei llaw a'i rhoi ar fraich Nest oedd yn eistedd ar y fainc yn wynebu'i gŵr yng nghefn y cart. Cododd y wraig ei phen ac edrych ar Elin gyda golwg lwydaidd, bell yn ei llygaid. Roedd unrhyw obaith am weld heulwen yn y llygaid hynny eto wedi mynd am byth, meddyliodd Elin. Ceisiodd feddwl am eiriau addas ond roedd ei cheg yn hollol sych.

Symudodd Nest ei braich a rhoi'i llaw yn llaw Elin. A'i gwasgu. Yna dechreuodd y wraig fwmian canu. Roedd Elin wedi clywed y pennill o'r blaen, ond heb dalu llawer o sylw i'r geiriau tan nawr. Roedd pob gair fel morthwyl yn curo hoelen i mewn i arch.

"Si-lwli 'maban, cysga di'n braf,
Cyn bod ti'n hen, cyn bod ti'n glaf,
Cyn mynd i ddyled, cyn mynd yn wan
A'r tloty yn galw, a mynwent y llan ..."

"Take them away," meddai'r llais didostur o dan yr het galed o'r tu ôl iddyn nhw.

Roedd gyrrwr y cart du eisoes ar ei fainc. Rhoddodd glec i'r awenau a dechreuodd y ceffyl ar ei daith. Gollyngodd Nest ei llaw. Edrychodd Elin ar y ddau am y tro olaf – gŵr a gwraig a bwndel bach o ddillad wrth draed bob un. Wrth i'r cart bellhau, gallai glywed Nest yn ailganu'r pennill.

"Si-lwli 'maban, cysga di'n braf,
Cyn bod ti'n hen, cyn bod ti'n glaf,
Cyn mynd i ddyled, cyn mynd yn wan
A'r tloty yn galw, a mynwent y llan ..."

* * *

Pwysai Elin a Gwyndaf ar ganllaw'r bompren, yn edrych i mewn i ddŵr yr afon.

Gwyddai'r naill efaill feddyliau'r llall heb fod angen geiriau.

Roedd eu tad wedi mynd â'i gart erbyn hyn. Roedd y

stiward a'i weision wedi gadael. Ond roedd pennill gwraig Bwthyn Pont Goch yn dal i grafu yn eu clustiau.

Rhoddodd Elin ochenaid hir yn y diwedd.

"Dim ond cadw'r blaidd o'r drws o'dd e, dyna wedodd Dad, Gwyndaf. Ond nid drwy wneud gwaith y blaidd mae gwneud hynny, yn nage?"

Edrychodd Gwyndaf i fyw ei llygaid. Gallai weld yr angerdd yn y llygaid gleision. Gallai weld y boen.

"Wy'n cytuno bob gair gyda ti, Elin. Mae Dad wedi rhoi dolur dwfwn i finne 'fyd. Wy'n teimlo'n wan i gyd. Ond rhaid i ti gofio ein bod ni i gyd yn byw y drws nesa i'r wyrcws. Ry'n ni i gyd yn dlawd. Mam, Dad a ninne 'fyd. Mae pawb yn gorfod edrych yn garcus ar bob c'inog."

"Ond Gwyndaf, do's bosib na allwn ni garco'n gilydd 'fyd drwy hyn i gyd?"

Yna sythodd Elin ei chefn a chodi o roi ei phwysau ar y canllaw.

"Mae 'da ni rywbeth i'w wneud. Dere."

Dilynodd Gwyndaf hi o'r bompren i'r cae.

"Pam y'n ni'n mynd i weld y teulu, Elin?"

"Gei di weld nawr."

Eisteddodd y pump ar foncyffion coed ar y comin ar ôl y cyfarchion cyntaf. Roedd Tom wedi mynd i wneud gwaith y cynhaeaf mewn ffarm ar lawr gwlad Dyffryn Tywi, meddai'i fam.

"Mae cwmwl du er bod yr awyr yn las," meddai Mari Lee, gan edrych i fyw llygaid Elin.

Hwnnw oedd y cyfle i'r ferch a'i brawd fwrw eu perfedd a rhannu eu baich gyda'r teulu.

"Dyn'on mawr gyda chalonnau pitw y'n nhw," meddai Mari Lee ar ôl clywed am waith Bishop y stiward a Chandler yr eglwys.

"Alla i feddwl am gant o enwe er'ill i'w galw nhw 'fyd," chwyrnodd Jorjo.

"Dillad yr eglwys, calon y cythrel," meddai Mari Lee.

"Ond maen nhw'n ca'l 'u ffordd eu huna'n o hyd ac o hyd," meddai Gwyndaf.

"Drychwch shwt lwyddon nhw i ga'l Dad i weitho o'u plaid nhw, hyd yn oed," meddai Elin.

"O, dyw hynny ddim yn hollol deg nawr," atebodd ei brawd. "Alli di ddim gweud fod Dad yn bleidiol i'r hyn welson ni ym Mwthyn Pont Goch."

"Gwas yw eich tad," meddai Mari Lee. "Paid â pwynto bys at y gwas oherwydd dwrn y mishtir. Fe gân nhw eu ffordd 'ta p'un."

"Ac mae peryg y bydd e'n ca'l ei ffordd ei hunan a dala Beca wrth ei gwaith heno!" ychwanegodd Elin yn daer.

"Dala Beca? Be sy 'da ti nawr?" gofynnodd Jorjo yn siarp.

Yn gyflym, adroddodd yr hyn roedd wedi'i glywed wrth guddio y tu ôl i'r clawdd wrth yr hen dollborth ar y ffordd i Langadog.

"Fe all fod Dan wedi bradychu Beca, smo chi'n meddwl?" meddai Elin a dagrau'i phoen ar ei hwyneb bellach. "Fe all fod Bishop wedi rhoi'r neges i'r Dragŵns ac y bydd canno'dd o'r Merched yn ca'l eu tafellu gan gleddyfe hirion y rheiny heno. Fe allen nhw ddala Beca ei hunan! Pa obeth fydde 'na wedyn i bobol yr ardalo'dd 'ma?"

Cododd Jorjo ar ei draed.

"Mae ambell lwynog yn rhedeg o fla'n y cŵn," meddai. "Ond mae'r llwynogod gore'n dianc cyn i'r cŵn godi. Mae isie inni feddwl yn rhydd. Dyw'r rhwyd ddim wedi cau eto. Wy'n meddwl mai Jac y Plow yw ein dewis gore ni. Awn ni â'r neges iddo fe."

"Tafarn yr eog a'r sewin," meddai Mari Lee.

"Ody, mae e wedi talu am sawl pysgodyn sy wedi digwydd neido i miwn i 'nwylo i o afon Tywi," meddai Jorjo'n dawel. "Mae e'n gwbod beth yw croeso. Ac mae e wastad yng nghanol pethe."

"Ddwedodd e rywbeth am gario neges o ddolen i ddolen ar hyd y gadwyn ddiwrnod ffair Lland'ilo," meddai Elin.

"Af i ar gefen Dicw dros y bryn i Dan-yr-allt a thrwy Rhyd-y-Saeson," meddai Jorjo. "A wy'n gwbod y ffordd drwy'r caeau i osgoi'r gatie i Rosmaen."

Wedi i'r sipsi adael heb ymdroi, cododd Elin ac yna Gwyndaf ond teimlai'r ddau'n lletchwith.

"Do's gyda ni fawr o awydd mynd yn ôl gatre," meddai Gwyndaf, gan ddeall teimladau ei chwaer. "Bydd hi'n anodd inni basio Bwthyn Pont Goch 'to."

"Mae traed da yn gallu symud meddyliau gwael," meddai Mari Lee. "Dewch i lawr i'r cae yn y coed. Dere dithe, Anna."

"Beth yw hyn nawr 'te?" gofynnodd Gwyndaf.

"Rhedeg," meddai'r wraig, gan godi'n ystwyth ar ei thraed. "Shwt mae ca'l gair i deithio ymhell ac yn gyflym. Gair na allwch chi ei drysto i neb arall. Gair mae'n rhaid i chi'ch hunen ei gario fe."

Edrychodd y lleill yn dawel arni.

"Ei redeg e!" meddai Mari gan fflachio'i dannedd yn ei

gwên. "Dewch 'da fi i lawr i'r cae dan y comin."

"Tynnwch eich clocsie a'u gwisgo am 'ych dwylo fel menig," meddai Mari Lee ar ôl iddyn nhw gyrraedd y maes oedd o olwg y byd, wedi'i amgylchynu â choed trwchus.

Yna aeth ati i'w hannog ac i rannu ambell gyngor.

"Plygu'r pengliniau wrth redeg ... coese ychydig ar led ... chi'n nes at y ddaear fel'ny ... chi'n llai tebyg o gwmpo ... camau mân ... mae camau bras yn gwneud dolur i'ch sodle chi ... sbonc ysgafn ar y llawr ... glanio ar flaenau ac ochre'ch tra'd ... anadlu byr ... ddim rhy ddwfn ... Dewch nawr – rhedeg un waith o gwmpas y cae ... ac unwaith 'to ... ac unwaith 'to ..."

Pennod 10

Y prynhawn canlynol, llwyddodd Elin i gael ei thraed yn rhydd o waith y dafarn. Roedd y distawrwydd llethol rhyngddi a'i rhieni yn ormod iddi. Penderfynodd fynd lan hewl gefn y dafarn tua'r bryniau. Aeth am Bantmeinog ac yn fuan roedd yn rhedeg, er ei bod yn gwisgo'i chlocsiau. Yna, dilyn Nant Dyrfal i lawr at Goed Glansefin. Tynnodd y clocsiau a gwthio'i dwylo rhwng y lledr a'r gwadnau pren. Teimlai ryddhad wrth redeg yn esmwyth a llyfn.

Rhedodd drwy'r coed, a mynd i lawr yr allt. Clywai ei phengliniau'n boenus wrth iddi ddal ei choesau'n dynn rhag syrthio, a'i thraed yn taro'r ddaear yn drwm wrth geisio cadw cydbwysedd. Allai hi ddim dal i fynd yn hir fel hyn, meddyliodd. Mae'n rhaid bod ffordd haws o redeg i lawr rhiw. Byddai'n rhaid iddi ofyn am gyngor Mari Lee.

Drwy lwc, doedd hi ddim yn rhiw hir. Cyrhaeddodd y gwaelod a dod mas o'r coed heibio stablau Glansefin i'r ffordd wastad. Trodd i gyfeiriad Llangadog gan redeg yn haws yn awr. Cyflymodd ei chamau a theimlo'n rhydd. Gadawodd y ffordd a chymryd llwybr drwy'r caeau i'r chwith i gyfeiriad ffarm Glan Sawdde. Ar ôl croesi tri chae, gwelodd domen bridd Castell Meurig, hen gastell Llangadog ar ei llaw chwith, dim ond lled cae i ffwrdd. Trodd a rhedeg lan y llechwedd. Rhoddodd ymdrech yn ei chamau wrth i'r tir godi i'w chyfarfod. Cam i'r chwith, i'r dde i osgoi'r darnau garw a sbonc yn ôl lan ... defnyddio blaenau ac ochrau ei thraed. Roedd wedi colli'i hanadl erbyn cyrraedd y copa coediog, ond gwenai wrth ddal ei hochrau.

Wedi sbel fach, sythodd ei chorff a throdd i edrych ar yr olygfa. Gallai weld y tri dyffryn yn dilyn yr afonydd – Sawdde, Brân a Thywi – a'r cyfan yn dod at ei gilydd ychydig yn is i lawr na'r Bont ar Dywi. Y wlad yn gaeau i gyd. Gwelai fod rhai wedi dechrau lladd gwair – roedd byddin o bladurwyr yn torri'r gwair yn ystodau yma ac acw. Roedd ei thad wedi dweud y bydden nhw'n dechrau ar eu cynhaeaf fory 'fyd. Dyma wlad braf, meddyliodd.

Edrychodd i lawr ar y comin ar lannau afon Sawdde. Roedd llawer o anifeiliaid yn pori'r comin yr adeg hon o'r flwyddyn – y ffermwyr wedi mynd â'r da oddi ar y caeau gwair i'r tir cyffredin. Roedd hi'n gwybod hyn erioed, rywsut, wedi'i magu gyda'r arferiad. Doedd neb yn berchen ar y comin, ond roedd yn eiddo i bawb hefyd. Roedd hi'n rhyfedd sut y gallai peth felly fod, ond roedd y cyfan yn gwneud synnwyr iddi hefyd. Roedd y ffermwyr yn rhannu'r tir gyda'i gilydd a'i rannu gyda'r pentref, a hefyd gyda'r sipsiwn fyddai'n dod yno i aros. Roedd pawb yn cael mynd i ddŵr yr afon ac i bysgota'r afon o'r comin. Gallai weld fod plant yn y pwll wrth y bont y prynhawn hwnnw.

Dechreuodd Elin redeg eto. Yn ôl at y llwybr, a'r tro hwn ceisiodd fynd dau gam i'r dde a dau gam i'r chwith wrth fynd i lawr y llethr. Roedd yn esmwythach ar y pengliniau na neidio'n drwm oddi ar un sawdl i'r nesaf. Er ei bod yn cymryd mwy o gamau wrth ddilyn llwybr igam-ogam, teimlai ei bod yn rhedeg ynghynt.

Dilynodd y llwybr at ffarm Glan Sawdde, ymlaen heibio'r polyn oedd bellach yn lle'r gât wrth y tŷ tyrpeg ac i'r dde am y comin. Croesodd Bont Carreg Sawdde ac at y gât nesaf.

"Isie agor y gât?" gwaeddodd llais bach o ymyl y tolldy.

Edrychodd Elin ar ferch fach droednoeth, ryw bum mlwydd oed.

"Shw' mae 'te?" meddai wrthi. "A beth yw dy enw di?"

"Rachel."

"Ac wyt ti'n mynd i agor y gât i fi, fel croten fawr?"

"Odw, fel hyn ti'n ei 'neud e."

Ymestynnodd Rachel ar flaenau'i thraed a dadfachu dolen y gât.

"Diolch yn fawr, Rachel!" gwenodd Elin wrth fynd heibio iddi. "Ti'n deall y gât 'ma i'r dim."

Daeth ei thad i'r drws yn ei het ddu galed. Doedd e ddim yn gwenu ond ddwedodd e ddim gair.

"Wyt ti'n rhedeg ar y comin heddi?" gofynnodd Rachel.

"Odw, 'chydig bach."

"O's dim ras 'te?"

"Na, dim rasio heddi."

"Gaf i redeg 'da ti 'te?"

"Cei di. Awn ni i redeg gyda'r afon ffordd hyn, ife?"

"Ie!" meddai'r ferch, wedi cyffroi'n lân.

"O, ga' i redeg 'da chi 'fyd, Rachel?" Gwelodd Elin ferch arall, rhyw flwyddyn yn hŷn, yn tasgu mas o'r afon ac yn ymuno â nhw.

"A phwy wyt ti 'te?"

"Mei. Whâr fawr Rachel."

"A finne! A finne!" meddai bachgen bach main ond llawen

iawn oedd yn chwarae ar lan yr afon.

"A phwy wyt tithe?"

"Dafy'."

"Fe yw'r brawd bach," meddai Rachel. "Dyw e ddim yn gallu rhedeg yn glou 'to. Pedair o'd yw e."

"Sdim ots! Dewch i gyd!" meddai Elin.

Rhedodd y pedwar gyda glan afon Sawdde. Ymlaciodd Elin gan osgoi gwthio'r plant yn rhy galed. Roedden nhw'n mynd eu gorau glas, breichiau a choesau ym mhobman. Ac yn gwenu a chwerthin yr un pryd. Sylwodd fod eu camau yn mynd i'r dde a'r chwith yn naturiol. Roedden nhw'n droednoeth hefyd, ac roedd hi'n eu gweld yn crymu gwadn y droed wrth iddi gwrdd â'r ddaear.

"Gwna enfys gyda dy dra'd!" Dyna oedd cyngor Mari iddi, cofiodd Elin.

A'r peth pwysicaf un, roedden nhw'n mwynhau. Doedd rhedeg ddim yn rhywbeth difrifol, poenus. Roedden nhw wrth eu boddau. Yn fwy na hynny, meddyliodd Elin – roedden nhw'n rhedeg fel petaen nhw wedi clywed cyngor Mari Lee – plygu'r coesau, traed ar wahân, cadw'r corff yn isel.

"Y cynta at y tro yn yr afon!" gwaeddodd Elin gan ddal yn ôl fel mai Dafy' oedd y trydydd. Sôn am sgrechen a rowlio ar y gwair a chwerthin wedi hynny!

Dyna braf oedd cael bod fel hyn, meddyliodd Elin. Yna, gwelodd Jorjo yn cerdded ar draws y comin gydag Abram, y rhedwr fu yn y ras gyda nhw. Dyma nhw'n sefyll wrth babell gŵr tal, main gyda gwallt tywyll a dwy fodrwy aur mewn un glust. Daeth pwysau'r dydd yn ôl ar ei hysgwyddau.

"Daliwch chi i whare rhedeg," meddai wrth y teulu bach.

"Ddo i 'nôl i ga'l ras gyda chi 'to rhyw ddiwrnod."

Cerddodd draw at y tri ac amneidiodd Jorjo ar iddi ymuno â nhw wrth iddi nesu.

"Dyma Edmwnd, tad Abram," esboniodd wrthi. "Mae e newydd ddod 'nôl o Dalyllychau ac fe alwodd e yn y Plow. Mae 'da fe stori dda."

Cododd calon Elin wrth weld fod Jorjo'n gwenu. Falle fod newydd da wedi'r cyfan. Mentrodd obeithio.

"Ges i air gyda Jac y Plow," meddai Edmwnd. "Wedes i pwy o'n i."

Taflodd lygad ar Jorjo wrth ddweud hynny.

"Mae Jac yn gwbod yn iawn pwy gall e ymddiried ynddyn nhw, Edmwnd," meddai yntau.

"Diolch i Jorjo, ro'dd y neges fod peryg bod Dragŵns ar eu ffordd i Bumsaint hanner nos wedi cyrraedd miwn pryd."

"A diolch i Elin 'ma 'fyd, neu fydden i ddim wedi cael y rhybudd," meddai Jorjo.

"Drwy lwc ro'dd y Merched wedi trefnu i gwrdd yn gynnar. Roedden nhw'n casglu yn y fforch rhwng ffyrdd Llanwrda a Thalyllyche yr ochor hyn i Bumsaint am naw. Fuodd dim oedi. Ymlaen â'r gwaith, medde Beca. Ro'dd canno'dd yno a digon o arfe. Fe aethon nhw ar drot at gât Ynyse, yr ochor hyn i Bumsaint ac ro'dd pren honno yn wely i'r hwch miwn ychydig funude. Roeson nhw'r tolldy ar dân wedyn ..."

"Rhoi'r tŷ ar dân! Ond beth am y bobol oedd yn byw yno?"

"Roedden nhw wedi ca'l rhybudd, yn ôl Jac. Ond ro'dd dyn y gât fel penbwl. Saesneg oedd e'n siarad ac ro'dd e'n trial ca'l arian gan bob un oedd ar gefen ceffyl. Do'dd dim clem 'dag e ac ro'dd e mor ffroenuchel. Fydd e ddim wrth y gât 'to ..."

"Faint o'r gloch oedd hi erbyn hynny? Prin ddeg o'r gloch medde rhywun. 'Awn ni mla'n â'r gwaith!' medde rhywun arall. Gorymdeithion nhw drwy Bumsaint yn seinio cyrn a saethu gynne i'r awyr."

"Do'dd neb yn mentro mas o'u tai wedyn 'ny a fydde neb yn gallu rhoi tystiolaeth eu bod nhw wedi adnabod rhywun yn y criw," esboniodd Jorjo.

"Ro'dd tyrpeg Glan Twrch yr ochor uchaf i Bumsaint. Y'ch chi'n cofio gât yn y man hynny?" gofynnodd Edmwnd.

Nodiodd y ddau ohonyn nhw.

"Wel dyw hi ddim 'na nawr!"

"A beth am y tolldy. A'r teulu?"

"O, ro'dd gŵr y gât honno yn fwy boneddigaidd. Pan ofynnodd Beca ar fla'n y dyrfa a gawsai hi ddod drwy'r gât, dyma fe, gŵr y tollborth, yn gweud 'Cewch siŵr, Mam. Smo ni'n codi c'inog arnoch chi!' Ac fe fuodd hwrê fawr dros y lle. Gath y gŵr fynd yn ôl i'w dŷ at ei deulu. Gafodd e'i siarsio i gau'r drws a'r llenni, ac er bod y gât yn rhacs-jibidêrs miwn munudau, ddigwyddodd dim drwg i'r tŷ na'i do na neb oedd ynddo."

"Ac oedd y Dragŵns ar eu ffordd neu b'ido?" gofynnodd Elin.

"Paid hastu, groten!" gwenodd Jorjo. "Gad iddo fe weud yr hanes. Mae e'n mwynhau'i hunan!"

"Clirwch y ffordd! Dyna waeddodd Beca ar ôl cwpla'r gwaith ar y gât. Pawb i'r coed neu i groesi'r afon a mynd hanner milltir o'r tollborth. A phawb i sefyll yn llonydd wedi hynny. Chi'n gweld, do'dd Beca ddim moyn i'r canno'dd gerdded yn swnllyd a bod y Dragŵns yn eu clywed nhw. Deng munud ar ôl hynny – dim ond deng munud, cofiwch – ro'dd carlam y Dragŵns i'w glywed dros y cwm. Fe welson nhw'r tân yn y tolldy cynta ac fe ddethon yn wyllt â'r cleddyfe hirion 'na mas o'u blaene nhw ... drwy Pumsaint fel milgwn ac yna sefyll wrth yr ail dollborth ... Cofiwch nawr, ro'dd cann'odd o'r Merched y tu cefen i'r cloddie, yn y caeau ac ar y llechwedde ... pob un wedi rhewi'n llonydd a phawb yn fud ... Ro'dd capten y Dragŵns yn gweiddi nawr, yn galw ar ddyn y tolldy i ddod mas ... a dyma fe'n dod, medden nhw, a golwg bryderus arno, yn plygu'i sgwydde a pipo i bob cyfeiriad ... Ma'n rhaid bod y capten wedi gofyn iddo fe pwy ffordd yr a'th Beca a'r Merched ... a chi'n gwbod beth?"

Oedodd Edmwnd ar ganol ei stori er mwyn cynyddu'r ddrama, neu er mwyn cael ei wynt.

"Na! Beth?" Roedd wyneb Elin yn olau wrth iddi lyncu bob gair o'r hanes.

"Fe wna'th gŵr y tolldy bwyntio lan y cwm a'r ffordd 'sha Llambed! Miwn 'whincad, roedd y Dragŵns yn carlamu am Lambed ac fe gâth y Merched fynd gatre'n dawel a diogel. A dyna stori'r noson i chi."

"Wel, wel!" meddai Jorjo, gan droi at Abram. "Diolch i ti am ddod lan 'co i'm moyn i er mwyn i fi glywed yr hanes gan dy dad."

"Ac ro'dd Jac isie i fi ddiolch i chi ... Y ddou ohonoch chi," trodd Edmwnd i wynebu Elin hefyd. "Mae'n dda bod gan y cloddie glustie, dyna wedodd e. Ac mae'n dda bod y clustie ar ochor Beca!"

"Y'ch chi'n mynd 'nôl lan i Goed yr Arlwydd?" gofynnodd Elin i Jorjo. "Mae gyda fi gwestiwn neu ddou i Mari Lee am y rhedeg 'ma."

"Cer di lan, groten," meddai Jorjo. "Wy'n mynd draw at Llew yn yr efel yn gynta. Bydda i lan gyda chi wedyn."

Pan gyrhaeddodd Elin y llannerch, roedd Mari ac Anna yn paratoi cawl.

"Cawl y gynffon wen glou sy 'da ni heno," meddai Mari Lee.

"Cwningen," esboniodd Anna. "Mae Tom wedi bod yn eu dala nhw drwy osod maglau. Mae pla ohonyn nhw yn y cloddie ar hyd Nant Geidrych."

"Dyna sy'n becso fi am y rhedeg 'ma, Mari Lee. Wy'n gallu rhedeg yn llyfn ar y gwastad a smo rhedeg lan y gelltydd yn poeni llawer arna i, wrth i fi glywed eich geirie chi yn fy mhen. Ond am ddod i lawr y rhiw. O, mae 'nghorff i'n siglo ac yn jercian i gyd ac mae gwayw yn rhedeg o 'mhenglinie i lawr at fy sodle. Shwt mae rhywun i fod i redeg i lawr y rhiw?"

"Dyna'r peth pwysica am redeg ar draws gwlad," meddai Mari Lee. "Alli di wneud niwed mawr i ti dy hunan os nad wyt ti'n ofalus. Well iti wneud y llwybr yn hirach ac yn llai serth. Paid â dod lawr ar dy ben a phwno dy sodle i miwn i'r ddaear ar y rhiw. Mae hynny'n gwneud drwg i'r mynydd – ac yn rhoi dolur i dy sodle di. Cadwa dy goese ymhlyg a dy dra'd yn ysgafn. Pam nad ewch chi'ch dwy nawr lan Dyffryn Ceidrych – mae rhiwiau da i'w ca'l ffordd 'ny."

Edrychodd y ddwy ar ei gilydd a nodio.

"Gewch chi gawl y sbonciwr wedyn. Fydd e'n dda i'ch tra'd chi. Cer â hi i ben y Garn Goch, Anna," meddai Mari Lee gan bwyntio at y copa creigiog uwch y bryniau a'r coed yn Nyffryn Ceidrych.

"Cofiwch – anadlu yw popeth. Anadlu i'r bola!"

Diflannodd y ddwy i'r coed.

Ymhen awr, roedden nhw'n ôl yn flinedig, yn sychedig ac yn chwyslyd. Ond roedd y ddwy yn gwenu.

"Ody'r sodle'n dost 'da ti neu odyn nhw'n iawn?" gofynnodd Mari Lee wrth roi basned o gawl cwningen iddi.

"Na, mae'n nhw'n iawn, diolch. Fel y boi," gwenodd Elin arni.

Roedd blas ar y cawl ac roedd Mari'n codi ail fasned iddi 'mhen dim. Hanner ffordd drwy lyncu honno, oedodd Elin yn sydyn.

"Beth maen nhw'n ei ga'l i swper yn Wyrcws Llan'dyfri heno, tybed?"

Pennod 11

Roedd wythnos gyntaf Gorffennaf y flwyddyn honno yn dywydd teg yn Sir Gaerfyrddin. Bu'r pladuriau'n brysur yn y caeau gwair ac roedd teuluoedd cyfan yn gweithio drwy'r dyddiau heulog yn chwalu a throi'r gwair i'w sychu. Codai aroglau melys y cynhaeaf i lenwi'r dyffrynnoedd.

Chwalu'r gwair yn un o gaeau Tafarn y Wawr roedd Elin a Gwyndaf un prynhawn, pan ruthrodd bachgen drwy'r iet agored o'r hewl gan chwifio'i freichiau'n wyllt arnynt.

"Beth mae hwn yn moyn, Gwyndaf?"

"Sa i'n gwbod, ond mae e'n ein galw ni draw."

"Ti'n ei nabod e?" meddai Elin wrth adael ei phicwarch a dechrau cerdded i gyfeiriad y rhedwr.

"Na'gw. Mae e wedi rhedeg o bell yn ôl ei olwg e."

Wedi dod yn nes ato, ceisiodd y rhedwr ddweud ei neges, ond roedd wedi colli'i wynt.

"Mae ... y-hy- y-hy ... m-mae ..."

"Anadla'n ddwfn," meddai Elin wrtho. "Un ... dwy ... tair gwaith ... Dyna well."

Tawelodd anadlu'r rhedwr a llwyddodd i ddweud ei eiriau.

"Mae'r Dragŵns yn Llan'dyfri!"

"Ie wel, maen nhw 'nôl a mla'n bob yn ail ddydd, yn 'dy'n nhw," meddai Gwyndaf. "Ddydd a nos, maen nhw'n whilo am Beca a'i Merched ac yn ceisio dod i ddeall patrwm ffyrdd y wlad."

"Na, smo ti'n deall. Nid criw yn dod am ddiwrnod yw'r rhain. Maen nhw wedi dod o Aberhonddu. Maen nhw'n mynd i aros yn Llan'dyfri ..."

"Aros? Lletya yno ti'n feddwl?" gofynnodd Elin.

"Ie, maen nhw yma yn ein canol, yn ein gwylio ni, yn ceisio troi rhai ohonon ni'n fradwyr wrth weld eu gynne a'u cleddyfe nhw."

"Pwy wyt ti 'te?" gofynnodd Gwyndaf.

"Ifan Tynewydd, Myddfai."

"O ie, wy'n gwbod am Gwm Tynewydd," meddai Gwyndaf. "Beth yw enw mab Ysguborfawr?"

"Emrys."

Nodiodd Gwyndaf.

"Pa ffordd ddest ti?" holodd Elin.

"Drwy Gwm Brân a heibio'r Olchfa ac wedyn drwy Goed Cae'r Bedw ... ond fe es i ar goll. Des i heibo Maes Glas ..."

"Pwy wyt ti isie'i weld 'te?" gofynnodd Elin.

"Llew Lewis, yr efel ar ..."

"... ar Gomin Carreg Sawdde. Ie, wy'n ei nabod e," meddai Elin. "A beth yw'r neges i gyd? Alli di ddim rhedeg cam arall yn ôl dy olwg di. Ti wedi rhedeg peder milltir yn barod."

Roedd Ifan yn gorwedd ar dwmpath o wair yn anwesu'i goesau ac yn dal i anadlu'n drwm.

"Y Dragŵns wedi cyrra'dd Llan'dyfri. Yno i aros. Dim Beca heno. Dyna'r neges. Da'th rhedwr â'r neges ata i bob cam o Lan'dyfri a ges i fy siarsio i fynd â fe mla'n i Llew."

"Af i â'r neges," meddai Elin.

"Elin ... well i fi fynd?" meddai Gwyndaf.

"Na, cer di ag Ifan i ga'l rhywbeth i'w yfed yn y tŷ.

Mae e wedi rhedeg peder milltir."

Yna lledodd gwên ddireidus dros wyneb Elin.

"A ta beth, wy'n glouach na ti! Ac mae dy angen di i drin y gwair 'ma ..."

Tynnodd Elin ei chlocsiau a dechrau rhedeg dros yr ystodau gwair at yr iet.

* * *

Wrth gyrraedd yr efail ar y comin, sylwodd Elin fod dau geffyl dierth ar y clos. Arafodd ei cham a gwelodd fod Dan Dowlais yn gweithio wrth y tân. Cododd hwnnw ei ben wrth weld ei chysgod yn y drws.

"Merch y dafarn," meddai. "Ody'r tapie'n dala'n iawn neu ody'r cwrw'n boddi llawr y seler?"

"Na, maen nhw'n iawn. Mae rhywun gyda Llew?"

Trodd Dan gan daflu cip i'r cefn at y drws i'r sgubor.

"O's. Dou o Gaerfyrddin. Dou ddyn papur newydd. Ond alli di fynd atyn nhw. Falle fod 'da ti stori iddyn nhw, o's e?"

Edrychodd Elin yn ddifrifol ar Dan am eiliad. Oedd e'n chwarae cath a llygoden â hi? Oedd e'n ceisio tynnu rhyw wybodaeth o'i chroen? Ond châi e ddim gair ganddi hi, roedd hi'n siŵr o hynny.

Chwarddodd Dan, wrth weld yr olwg ar ei hwyneb.

"Paid dishgw'l mor ofnus! Do's dim byd i'w ofni. Dim ond casglu ffeithie maen nhw! Cer miwn atyn nhw."

"Elin Tafarn y Wawr yw hon!" meddai Llew Lewis wrth i'r ferch ifanc guro'n swil ar y drws a rhoi ei phen i mewn i'r sgubor. "Dere miwn, Elin. Wy'n siŵr bod ti eisie clywed rhai o'r pethe sy 'da'r dyn'on hyn i'w weud. Dyma ..."

"Wy wedi cyfarfod ag Elin eisoes." Edrychodd Elin i gyfeiriad y llais am y tro cyntaf a gwelodd mai Dylan Lloyd, oedd yn sgrifennu i'r *Carmarthen Journal*, oedd e.

"Do, yn ffair Llan'dilo," meddai Elin, gan nodio'i phen arno.

"Ac rwyt ti'n cario dy glocsie ... Rwyt ti wedi dod yma ar hast, Elin?" sylwodd Llew.

"Do, Llew – neges i chi." Pwysleisiodd Elin y gair olaf er mwyn awgrymu nad oedd i'w rhannu'n gyhoeddus.

"Mae Dylan Lloyd man hyn yn trosi i'r Saesneg yr hyn sy 'da ni i'w rannu â Thomas Foster wrth ei bwys e. Mae Thomas Foster yma o Lunden ..."

Trodd Elin ei phen a sylwi ei bod wedi gweld y gŵr hwnnw o'r blaen hefyd.

"A'th e gyda ti Dylan i'r cyfarfod pwysig yn Neuadd y Sir yn Lland'ilo?"

"Do, dyna ti," meddai Dylan. "Mae gyda ti gof da am wynebe."

"Mae Thomas Foster yn rhoi straeon o Sir Gâr bob dydd yn y papur mae e'n sgrifennu iddo fe yn Llunden. Maen nhw wedi gweud wrtho i y bore 'ma fod ugen mil yn darllen y papur hwnnw bob dydd! Ugen mil, Elin – dychmyga'r peth. Ugen mil o bobol a phob un ohonyn nhw'n darllen papur!"

"Mae e wedi cyflwyno hanesion am y terfysgoedd hyn, wrth gwrs," meddai Dylan. "Ond mae e hefyd wedi cyfarfod â ffermwyr a phobol yn cerdded ar y ffyrdd. Mae e'n sgwrsio â phawb ac yn casglu'u straeon nhw. Rwyf inne'n gofyn ei gwestiyne fe ac yn trosi'r atebion."

"Beth o'dd 'dag e Rice Trevor, Plas Newydd Dinefwr, i'w weud yn Neuadd y Sir 'te?"

"Mae e wedi bod yn siarad llawer yn ddiweddar," atebodd Dylan Lloyd. "Yn Lland'ilo, a lan a lawr y sir, ac mae e'n gweud ei fod e'n meddwl y byd o'i denantiaid a'i ffermwyr. Mae e wedi ca'l shwt groeso ar eu haelwydydd nhw medde fe ..."

"Te a phice ar y ma'n i fab arglwydd Dinefwr, siŵr o fod," meddai Llew gan chwerthin yn wawdlyd.

"Mae'n flin iawn 'dag e weld milwyr yn ca'l eu defnyddio yn erbyn ei bobol e, ond mae e'n gweud y bydd unrhyw un sy'n ca'l ei ddala yn creu terfysg yn colli'i gatre," aeth Dylan yn ei flaen. "Ac yn wa'th na hynny, mae'n eu rhybuddio nhw y bydd y llys yn eu gyrru nhw mas o'r wlad 'ma. Bydd rhai'n ca'l eu hala miwn cadwynau ar longau i Awstralia bell, i garchar llafur caled yn y fan honno, a cha'n nhw byth weld eu cartrefi, na'u teuluoedd, na Sir Gâr na Chymru wedyn. Fesul un, fe fyddan nhw'n saethu pob dyn yn y sir os bydd rhaid. Mae e'n ceisio'i ore i godi ofon ar bobol."

"Pobol gyffredin cefen gwlad y'n ni," meddai Llew. "Isie llonydd i w'itho ac ennill cyflog i fyw arno a bod gyda'n teuluo'dd. 'Na gyd y'n ni moyn. Ond mae pobol wedi ca'l digon. Mae tân ym molie pobol y wlad erbyn hyn."

"Ry'n ni newydd fod ym Merthyr," meddai Dylan. "Mae tân yn y gweithie hynny ers blynydde maith – ac nid tân y ffwrneisi harn wy'n ei olygu. Mae gweithwyr Morgannwg wedi byw dan amode caled yn y trefi a'r pentrefi lle mae'r diwydianne trwm. Maen nhw'n teimlo gormes a newyn y dyddie hyn ac maen nhw'n barod i daro hefyd. Falle'u bod nhw'n fwy gwyllt na phobol y wlad – mae clybie'n prynu gynne a beionets a bwledi yn ardal Merthyr. Maen nhw'n gweud bod miloedd o weithwyr yn barod i ymladd er mwyn newid pethe."

"Felly, ti'n gweld, Elin – rwyt ti ymysg ffrindie fan hyn," meddai'r gof. "Mae'r clustiau hyn yn gwrando ac yna'n rhoi'n achwynion ni miwn papure sy'n cyrraedd pobol Llunden. Pobol fawr Llunden. Gwed dy neges 'te, groten."

"Rhedwr dda'th â hi o Dynewydd, Myddfai," meddai Elin. "Mae Dragŵns yn lletya yn Llan'dyfri. Wedi cyrra'dd o Aberhonddu. Dim Beca i fod heno. Dyna'r neges. Gollodd e 'i ffordd a wy wedi dod â'r neges iti, Llew."

"Dim Beca i fod heno?" meddai llais o'r drws. Cododd Elin ei phen yn sydyn wrth glywed llais Dan Dowlais o ddrws yr efail yn ailadrodd ei geiriau.

"Halwn ni'r rhedwyr mas," meddai Llew. "Fyddan nhw'n gwbod beth i'w wneud. Y rhai pella yn gynta. Cer i weud wrth mab y felin wlân, Dan. Fe sy'n rhedeg y ddwy filltir gynta i gario'r neges i Jac y Plow."

Trodd Dylan Lloyd at y gohebydd o Lundain a chyfieithodd y newyddion diweddaraf iddo. Gwelodd Elin ei fod yn sgrifennu nodiadau yn y llyfr ar ei lin.

"Mae sôn bod cant a hanner o gwnstablied Llunden ar eu ffordd i Sir Gâr," meddai Dylan wrthyn nhw wedyn. "A bod pum cant o filwyr traed ychwanegol yn dod i Abertawe. Mae'r llywodraeth yn Llunden yn meddwl mai dwrn haearn yw'r unig ffordd o drin cwynion y bobol. Ac maen nhw'n ceisio creu rhwyg yn y gymdeithas – mae Rice Trevor wedi cynnig tri chan punt am wybodaeth am un o'r arweinwyr wnaeth drefnu whalu gât yn y gorllewin."

"Tri chan punt!" meddai Dan Dowlais, gan daro'i ben yn ôl drwy'r drws.

"Ro'n i'n meddwl bod ti ar dy ffordd i'r ffatri wlân!" meddai'r gof wrth ei fab.

"Mynd nawr."

"Ond mae arwyddion bod y neges yn dechre cyrra'dd y clustie cywir," meddai Dylan. "Mae mwy nag un o'r Trysts tyrpeg yn y sir hon wedi cymryd cam yn ôl. Maen nhw wedi gostwng y tolle i'r hyn oedden nhw chwe blynedd yn ôl miwn rhai ardaloedd. Ond dyw hynny ddim wedi gwneud gwahaniaeth i'r ymosodiade. Mae Beca a channo'dd o'i merched wedi taro'r gatie tyrpeg miwn un man tra bod y Dragŵns yn carlamu'n wyllt yn whilo amdanyn nhw filltiroedd i ffwrdd. Mae fel petai Beca'n gallu darllen meddylie'r milwyr ..."

"Mae whalu'r gatie yn tynnu sylw," meddai Llew. "Ond mae angen i ni dynnu sylw at wraidd y drwg."

"Ie, y tlodi 'ma," cytunodd Elin. "Fydde neb yn fo'lon byw miwn tolldy a chasglu arian wrth y gatie oni bai am y tlodi."

"Mae Jac y Plow wedi galw cyfarfod mawr o holl bobol yr ardal ym mynwent y capel yng Nghwmifor cyn diwedd y mis," meddai Llew wrth Dylan. "Os byddwch chi yno, bydd cyfle i chi glywed y profiade a'r colledion ry'n ni'n eu diodde heddi. Ry'n ni wedi cyrradd pen ein tennyn. Gwed ti hynny wrtho fe."

Trosglwyddodd Dylan y neges i Thomas Foster a phan atebodd hwnnw, roedd yn amlwg fod ganddo nifer o gwestiynau. Sylwodd Elin ei fod yn meddwl yn bwyllog cyn eu gofyn, ac yn gwneud hynny mewn llais gwastad a digyffro.

Mae hwn yn chwilio am y gwir, meddyliodd.

"Mae Mr Foster yn awyddus iawn i fod yn y cyfarfod ac yn holi beth yw'r dyddiad."

"Nos Iau, yr ugeinfed o Orffennaf am hanner awr wedi naw yn y nos. Mae Cwmifor yn bentre bach yn y bryniau oddi ar yr hewl fawr o Land'ilo i Lan'dyfri, rhwng Rhosmaen a Maenordeilo. Wrth ichi fynd lan y cwm, welwch chi'r capel bach ar y whith. Capel y Bedyddwyr yw e uwch y coed ac yn sŵn y nant."

"Mae e'n gofyn a fydd gwahanieth ei fod e, ac ynte o Lunden, yn dod i ganol y bobol leol?"

"Bydd croeso i unrhyw un yno sy moyn gwrando arnon ni."

"Ac mae e'n gofyn a fydd cyfle iddo fe holi rhai pobol yn unigol – a finne'n gofyn ei gwestiyne fe yn Gymraeg?"

"Bydd, bydd. Fe ofalwn ni am hynny. Byddwn ni wedi meddwl pwy all rannu'i brofiade. Mae gair o'r galon yn well nag araith yn aml iawn, yn dyw e?"

Nodiodd Dylan ac egluro wrth y gohebydd. Nodiodd yntau ei ben yn bendant. Yna cododd y ddau ddyn papur newydd – roedd yn rhaid iddyn nhw gyrraedd Caerfyrddin cyn nos, medden nhw.

Wrth iddo fynd heibio Elin, gwenodd Dylan arni.

"Rwyt ti'n ca'l gwres dy dra'd yn amlwg y dyddie hyn!"

Teimlodd Elin ei bochau'n gwrido a phlygodd yn sydyn i wisgo'r clocsiau roedd yn eu cario.

"Y neges sy'n bwysig, nid 'y nhra'd i," meddai hi.

"Ie, ond rhaid i neges ga'l coese i'w chario hefyd."

"Neu brint ar bapur, falle," atebodd Elin. "Ry'n ni'n darllen dy golofne di bob wythnos."

"Wel, gwna'n siŵr nad wyt ti'n cyrraedd y colofne – na'r penawde," meddai Dylan. "Mae merch 'chydig yn iau na ti newydd ga'l ei dal a'i chyhuddo o arwain y terfysgwyr o stafell i stafell i ddifrodi Wyrcws Caerfyrddin adeg yr orymdaith fawr."

"Rhywun wedi agor ei geg a'i henwi hi falle?"

"Ie, siŵr o fod. Ond nid oddi wrthon ni y da'th y stori, dealla."

"Arhosa yn y stabal am 'chydig," meddai Llew wrth Elin. "Gawn ni air bach wedyn 'ny."

Aeth y tri mas trwy'r efail i'r clos at y ceffylau. Gwyddai Elin ym mêr ei hesgyrn y byddai'n cwrdd â'r ddau eto yn y dyfodol agos.

Pennod 12

"Felly ti'n gweld bod yn rhaid inni ga'l negeseuon o le i le'n gynt na charlam meirch y Dragŵns, Elin?"

Roedd Llew newydd fod yn egluro wrthi fod yn rhaid i Beca fod yn fwy cyfrwys wrth wneud eu trefniadau ar gyfer ymweliadau â'r gatie liw nos.

"Ry'n ni wedi bod yn rhoi rhybudd i geidwaid y gatie, gan weud yn union pa noson y bydden ni'n taro. Wel, mae hynny fel rhoi gwahoddiad i'r Dragŵns fod yno yn cynnal te parti o groeso inni."

"Beth y'ch chi'n ei wneud 'te?"

"Mae rhybudd yn ca'l ei roi – ond bydd Beca'n bwrw'r gât wythnos ar ôl y dyddiad ar y papur."

"A bydde'r Dragŵns wedi bod yno ar y dyddiad cynta?"

"Byddan. A'r nosweth honno, bydde Beca wedi rhoi bwyell miwn gât ugen milltir i ffwrdd."

"Felly, chi'n ca'l neges o le i le, filltiroedd bant oddi wrth ei gilydd?"

"Odyn. Ond rhaid newid y tricie drwy'r amser. Smo fe, Love – cadfridog y fyddin fawr sy yn y siroedd yma – yn ddwl. Un waith allwn ni ei ddala fe 'dag un cynllun. A nawr, gyda'r Dragŵns yn lletya yn Llan'dyfri, chwe milltir bant o fan hyn, rhaid i ni dynhau y ffordd ry'n ni'n gweitho."

"Beth mae hynny'n ei olygu, Llew?"

"Mae e'n golygu bod rhaid ca'l mwy o redwyr. Rhedwr bob

dwy filltir. Fe allwn ni ga'l neges o Lan'dyfri i Land'ilo yn gynt na Dragŵn ar gefen ceffyl os o's 'da ni bump o redwyr da yn mynd ar draws gwlad – dwy filltir bob un a'r neges yn cael ei throsglwyddo o un i'r llall. Rhaid iddyn nhw fod yn glou ac yn nabod y tir fel cefen eu llaw. Fel hyn y bydd traed yn drech na chleddyfe."

"O's digon i ga'l gyda chi, Llew?"

"Wy'n edrych ar un nawr."

"Fi! O na, alla i ddim bod yn rhedwr i Beca, Llew! Dim ond merch ydw i ..."

"Whilo am ddyn'on miwn gwisgo'dd merched maen nhw. Smo nhw'n mynd i feddwl dim am y peth os odyn nhw'n digwydd dod ar draws merch."

"Beth fydde Dad yn ei weud?"

"Weles i ariôd ferch na all hi ga'l y gore ar ei thad!"

"Mam 'te. Mae hi fel siswrn yn erbyn helynt y Beca 'ma ..."

"Gad ti dy fam i fi."

"Ond smo fi ariôd wedi rhedeg dwy filltir – ddim yn glou, ta beth."

"Dyna pam ei bod hi'n bwysig iti ymarfer. Mae Tafarn y Wawr yn lle perffeth. Mae tu fas y pentre, ar hewl dawel wledig heb gât arni – ac mae hynny'n beth prin. Mae'r porthmyn yn casglu yno – felly bydd newyddion yn cyrraedd yno bob amser ac mae llwybre a hewlydd yn mynd i bob cyfeiriad. Shwt aet ti i Lan'dyfri o gatre?"

"Lan at Maes Glas, lawr drwy'r coed at Glansefin ac ymla'n ar yr hewl ..."

"... nes doi di i Lwyn Ifan Feddyg. Dyna ddwy filltir iti. Mae mab Llwyn Ifan yn rhedwr. Fe fydd y ddolen nesa yn y gadwyn."

"Ac i ble fydd e'n rhedeg?"

"Do's dim angen i ti wybod. Nid cuddio pethe rhagot ti yw hyn ond dy ddiogelu di. Do's dim angen i ti wybod ac fe fydde gwybod yn faich. Nawr, shwt aet ti o Dafarn y Wawr i Landdeusant?"

"Lan Cwm Llwyn-y-bedw ..."

"Dala i fynd lan i'r mynydd, dros y grib ac fe ddoi di i'r hewl fach sy'n mynd â ti i Goed-y-brain. Dwy filltir. Pâr newydd o goese i symud y neges yn ei bla'n."

"Mae hwnna'n fynydd serth."

"Fe alli di ymarfer hynny. Shwt aet ti am y Mynydd Du?"

"Lan i Bantmeinog, yr hewl fach heibio Caeau Bychain, croesi Ffinnant a'r hewl ar hyd y llechwedd ..."

"... i Bant-y-grafog. Mae rhedwr 'da ni fan'ny, hefyd. Shwt ei di i Gapel Gwynfe a Llandybïe?"

"Rhyd-y-saint ..."

"... ac i Garregfoelgam. Dwy filltir. Neu'r hewl arall am Ffair-fach cyn belled â Tal-y-garn. A beth am Llan'dilo?"

"Croesi'r rhyd ..."

"Ac mae rhedwr gyda ni yng Nglan-Rhyd-y-Saeson. Felly ti'n gweld, rwyt ti ddwy filltir o bob cyfeiriad. Tafarn y Werin yw canol yr olwyn."

"Ond be wedwn i tawn i'n ca'l stop gan rywun? Cwnstabl falle, neu rywun o'r Plas Newydd – neu yn wa'th byth, y Dragŵns?"

"Jiw-jiw, gwed fod porthmon yn aros gyda chi a'i fod e'n whilo am yrwyr i fynd â'r da i Loeger ..."

"Ond Llew, pa obeth sy 'da croten fach gyffredin fel fi i wneud unrhyw wahanieth? Mae cyfoeth, mae cyfraith o'u hochor nhw – ac mae cleddyfe'r Dragŵns 'da nhw."

"Beth yw gobeth ond gwneud rhywbeth i geisio newid pethe?" meddai'r gof. "Nid gorwedd ar lawr a derbyn popeth maen nhw'n ei dowlu aton ni yw ein natur ni, Elin fach. Nid dioddef yn dawel. Nid derbyn y cam a phlygu'n pennau, plygu'n cefne. Na, codi un droed o fla'n y llall – dyna yw gobeth. Camu mla'n. Mynd milltir. Mynd dwy filltir. Bod yn gynt na'r cleddyfe. Felly down ni i ben y daith. Weithie mae'n rhaid i groten gyffredin fod yn ferch ifanc anghyffredin."

* * *

Rhwng y cynhaeaf a'r rhedeg, fe aeth y tridiau canlynol yn gyflym i Elin. Ceisiodd deithio i un o'r ffermdai ar restr y gof bob dydd. Doedd hi ddim yn siŵr o'r ffordd bob tro, ond roedd hi'n falch o gael cyfle i ddod i adnabod yr ardal yn well. Sylwodd ar fythynnod nad oedd wedi'u gweld o'r blaen. Daeth ambell goeden ar ochr bryn yn darged ar ei thaith. Adroddai enwau'r ffermydd i rythm ei thraed ar y llwybr.

Teimlodd fod gwadnau ei thraed yn caledu a bod ei hanadl a'i chyflymder yn gwella. Gallai ddringo llechweddau serth heb deimlo'i hysgyfaint yn llosgi. Cadwai ei llygaid ddau gam o flaen ei thraed wrth ddod i lawr y gelltydd.

O blith ei theulu, dim ond Gwyndaf a wyddai beth oedd ar droed. Doedd hi a'i thad ddim wedi edrych ar ei gilydd lygad yn llygad ers iddi ei adael o flaen Bwthyn Pont Goch. Siarad drwy Seren y gaseg fydden nhw yn y cynhaeaf ac wrth godi'r das wair yng nghefn y sgubor.

"Un llwyth arall gawn ni heddi, ife, Seren?" meddai Elin.

"Gwed wrthi fod dou lwyth ar y cae, Seren," oedd ateb ei thad.

Drannoeth,

"Mae'n fore braf heddi, Seren. Awn ni lan i'r Cae Pella?" meddai'i thad ar y clos.

"O, i'r Cae Pella ry'n ni'n mynd heddi, ife Seren?"

Roedd hynny'n fwy o eiriau nag a glywodd gan ei mam. Ond dyna fe, doedd Elin byth yn y tŷ y dyddiau hynny. Byddai'n cysgu yno, wrth gwrs, ond gyda'r dyddiau mor hir a'r tywydd mor braf, doedd hi ddim yn cyrraedd gartref nes ei bod hi'n barod i ddringo'r grisiau a mynd yn syth i'w llofft. Doedd cysgu ddim yn broblem rhwng y gwaith a'r rhedeg i Elin, ond roedd golau cynnar y wawr yn ei dihuno'n gynt.

Ceisiai gefnu ar y golau a ddôi drwy'r ffenest ac ailafael yn ei chwsg, ond doedd hynny ddim yn hawdd. Aflonydd fyddai'r oriau hynny, heb fod yn drwmgwsg ac eto'n llawn breuddwydion od a rhyfedd. Gan ei bod yn deffro'n aml yng nghanol y freuddwyd, byddai stori'r freuddwyd yn fyw iawn yn ei meddwl yn aml. Yn rhy fyw weithiau.

Y bore hwnnw gwelodd Elin ei hun yn rhedeg drwy'r rhedyn lan ochr bryn. Roedd cwm cul oddi tani ac roedd hi'n rhedeg o'r cysgod i'r haul, ei thraed yn anwesu'r ddaear, yn cusanu'r glaswellt. Prin fod y gwair yn plygu dan ei thraed, roedd hi'n rhedeg mor ysgafn. Doedd hi ddim yn gadael ôl ei thraed, fel y byddai Mari Lee yn ei ddweud.

Yna'n sydyn, roedd gwiber ar ei llwybr. Gwiber wedi dolennu'n dorch ac yn cysgu yn yr heulwen. Gan ei bod hi'n rhedeg mor ysgafn, doedd y neidr ddim wedi clywed y ddaear yn crynu wrth iddi nesu. Bu bron i Elin ddamsgen arni, ond ar yr eiliad olaf cododd y wiber ei phen.

Rhewodd Elin gydag un goes yn yr awyr. Gwelodd wyneb blin y neidr wrth iddi godi ofn arni. Chwiliai am rywbeth i ddial arno. Ac yna, yn y freuddwyd, gwelodd Elin ben y wiber yn codi ac yn codi o'i blaen, yn tyfu breichiau a choesau a'r pen yn tyfu ac yn chwyddo – ond y llygaid yn aros yr un fath. Richard Chandler, Rhingyll plwyf Llangadog, oedd yn sefyll o'i blaen hi'n nawr!

Trodd Elin ar ei sawdl a dechrau rhedeg i lawr y llethr. Nid igam-ogam, nid yn wyliadwrus a gofalus, ond fel tarw trwm ei draed. Roedd y llygaid gwiber yn rhedeg ar ei hôl, yn ceisio ei dala hi ...

Trodd ei throed ... baglodd ... syrthiodd yn bendramwnwgl ...

A deffrodd yn wyllt.

Roedd hi wedi cael y freuddwyd hon o'r blaen. Pam fod hon yn dod yn ôl i'w herlyn o hyd?

Cododd a chamodd o flaen y tŷ tafarn i edrych ar y wawr ar y Mynydd Du. Doedd neb arall ar eu traed. Dechreuodd redeg. Ei thraed oedd yn mynd â hi. Doedd hi ddim yn gwybod beth oedd ei bwriad.

Ond sylwodd cyn hir ei bod ar y bompren wrth y Bont Goch. Doedd hi ddim yn cofio mynd heibio'r bwthyn. Gwyddai ble'r oedd hi'n mynd bellach.

Roedd Mari Lee'n estyn dysgled o drwyth y crochan tuag ati wrth iddi gyrraedd y llannerch.

"Clywed sŵn fy nhraed i'n rhedeg drwy'r coed wnaethoch chi, Mari Lee?"

"Na, ond ro'n i'n gwbod dy fod ti ar dy ffordd."

Doedd Elin ddim yn trafferthu gofyn i'r sipsi sut y

gwyddai'r pethau hyn bellach. Roedd hi'n derbyn bod ganddi ryw synhwyrau dyfnach na'r cyffredin.

"Ffaelu cysgu'n iawn oeddet ti, Elin?"

"Na, ffaelu deffro'n iawn."

"Yr un peth yw'r ddou."

"Gwedwch wrtho i, Mari Lee, o's rhyw ystyr i'r breuddwydion ry'n ni'n eu cael?"

"Dydyn nhw ddim yn wir, ond mae rhyw wirionedd ynddyn nhw."

"Y'ch chi'n breuddwydio eich bod chi'n rhedeg weithie?"

"Odw."

"Rhedeg fel plentyn? Rhedeg yn hapus?"

"O ie, fel gwynt braf ar y tir. Rhedeg fel gole'r haul ar ddarn o gae. Rhedeg fel cwmwl gwyn miwn awyr las."

"Rwy inne'n ca'l y breuddwydion hynny 'fyd, Mari Lee."

"Mae hyn am dy fod di wedi dysgu ca'l pleser wrth redeg. Mae hyn yn mynd â ni yn ôl at wreiddie'r natur ddynol. Mae fy hen deulu i'n dod o wledydd pell, gwledydd twym, ond ro'dd rhedeg yn rhan o'u natur nhw. Byw i redeg a rhedeg i fyw."

"Dyna shwt eich bod chi'n gwybod cyfrinache'r grefft o redeg? Ai dyna pam dy fod yn fy nysgu i?"

"Ddysges i gan hen fenywod y teulu. Mae merched yn gallu rhedeg yn well na dyn'on ifanc, wyddost ti hynny?"

"Ai rhedeg miwn ofn sydd i gyfri am hynny?"

"Rhedeg rhag y teigr, rhedeg rhag yr arth ti'n feddwl? Ie, ac ambell arth ar ddwy go's hefyd. Ond alli di ddim rhedeg rhag rhai pethe, wa'th i ti heb roi cynnig arni."

Eisteddodd y ddwy yn hir o flaen y babell yn yfed y trwyth o'r ddysgl.

"Beth yw'r llysiau sy yn y potes hwn 'te, Mari Lee?"

"Deilen gron a llus duon bach. Maen nhw'n tasgu gan ddaioni ac yn rhoi nerth yn dy waed di, Elin."

"Nerth yn fy nghoese wy 'i eisie ar gyfer y rhedeg yma."

"Na, rwyt ti angen nerth yn dy waed yn gynta, groten."

Cododd Mari Lee a chodi'i phen.

"Mae rhywun yn dod ar frys," meddai.

Clywodd y ddwy sŵn traed trwsgwl yn trampio drwy'r goedwig. Yna daeth Gwyndaf i'r golwg, ei fochau'n gochion.

"Roeddwn i'n amau mai yma fyddet ti," meddai ar ôl cael ei wynt. "Da'th Arwel Glan-Rhyd-y-Saeson acw i'r clos a galw amdanat ti. Godes i cyn bo Mam a Dad yn gwneud. Mae gyda fe neges iti. Mae Iori'r Plow wedi'u gweld nhw â'i lyged ei hunan. Dragŵns. Mae rhai yn aros yn y King's Head, ac mae'u ceffyle nhw yn ei stabal e. Mae hanner cant ohonyn nhw wedi cyrraedd Lland'ilo neithiwr. Maen nhw i gyd yn lletya yn y dre."

"Mae'r cwm yn mynd yn gulach," meddai Mari Lee. "Ond po gulaf yw'r cwm, cyflymaf i gyd yw llif y dŵr."

Pennod 13

"Hanner nos. Yr Efel-fach. Dan Garn Goch."

Dyna oedd y neges ar brynhawn Sadwrn y pymthegfed o Orffennaf.

"Tair rhan i'r neges," meddai Llew yn y stabal yng nghefn yr efail ar y comin. "Meddwl am dair coeden ar ben bryn. Meddwl am dri bwa Pont ar Dywi. Meddwl am dair afon yn llifo'n un – Tywi, Brân a Sawdde. Mae'n haws cofio pethe fesul tri."

Nodiodd Elin i arwyddo ei bod yn deall ac yn cofio. Ailadroddodd y neges yn dawel wrthi'i hun.

"Mae patrwm i'w ga'l gyda Dragŵns Lland'ilo a Llan'dyfri 'fyd," meddai'r gof. "Er mor smart y'n nhw, mae'n hawdd gweld beth maen nhw'n ei wneud. Mae patrôl o ddou ddwsin yn gad'el Lland'ilo i lawr Dyffryn Tywi am wyth bob nos, medde Iori'r Plow. Fe ân nhw weithie i gyfeiriad Nantgaredig a dychwelyd drwy Lanarthne. Fe ân nhw dro arall am Landybïe ac fe ân nhw dro arall am Gors-las a Llannon. Wedyn mae patrôl arall yn dod lan y dyffryn – am Dalyllychau, neu Lansawel a weithie at Langadog a mynd mla'n lan Dyffryn Sawdde at gatie'r Mynydd Du. Dragŵns Llan'dyfri yr un fath. Mae 'da nhw'u ffyrdd, 'twel. Mae patrwm i'w ga'l. Ac mae Iori Tafarn y Plow yn deall eu patrwm nhw'n awr ac yn ca'l clywed os bydd newid ar y funud ola."

"A smo nhw i'w gweld ar yr hewl yr ochor hyn i'r afon, rhwng Llangadog a Ffair-fach?" gofynnodd Elin.

"Na'gyn."

"A fydden nhw ddim yno heno?"

"Na fyddan, groten. Ry'n ni wedi ca'l y gair. Fe dda'th rhedwr drwy'r rhyd hanner awr yn ôl."

"Chi'n siŵr?"

"Cyn sicred â bod nos yn dilyn dydd. Pam wyt ti mor bryderus?"

"Wy'n teimlo'r pwyse arna i, Llew. Y fi sy'n mynd â'r neges iddyn nhw. Ac fe fydd ..."

"Ie?"

"Fe fydd Gwyndaf gyda chi heno. Fe fydd yno ar ran Tafarn y Wawr."

"Nid dy dad 'te?"

"Mae e'n dost. Mae hade'r gwair adeg y cynhaea yn effeithio ar ei wynt e. All e ddim cerdded ymhell heb sôn am redeg os bydd angen."

"Well i ti ddechre rhedeg 'te. A chofia ..."

"Ie."

"Sa i moyn dy weld di gyda dy frawd wrth yr Efel-fach."

"O ... ond wy'n rhan ..."

"Wyt. Dy ran di yw rhedeg. Allwn ni ddim dy golli di. Rhaid i ti gadw'n glir. Deall?"

"Odw."

"Wyt ti'n cofio tair rhan y neges?"

"Hanner nos. Yr Efel-fach. Dan Garn Goch."

"Da'r groten! Bant â ti 'te."

Wrth iddi gerdded mas drwy'r efail, rhoddodd Dan

Dowlais y gorau i daro'i forthwyl ar yr haearn ar yr engan.

"Pa gât fydd hi heno 'te?"

"Hanner nos. Yr Efel ..."

"Ie, ie," meddai'n ddiamynedd. "Wy'n gwbod y neges. Ymla'n at ba gât fydd hi wedyn? Dyna be wy moyn gwbod."

"Dyw hynny ddim yn rhan o'r neges."

"Na, na – ond rwyt ti bownd o fod yn gwbod. Mae e'n gweud pob dim wrthot ti, groten."

"Bydd y Merched i gyd yn ca'l gwbod am hanner nos. Pob lwc."

Trodd i fynd mas o'r efail ond daeth cysgod tywyll rhyngddi hi a golau'r dydd.

"Lwc?" gofynnodd y ffurf main, tal o'i blaen.

Wrth glywed y llais yn chwyrnu, adnabu'r dyn o'i blaen. Richard Chandler, Rhingyll y Plwyf.

"Do's dim y fath beth â lwc," meddai'r swyddog. "Mae bywyd da i'w ga'l ac mae bywyd drwg i'w ga'l. Mae gwaith yn ca'l ei wneud yn gywir neu yn flêr. Do's dim lwc yn perthyn i ddim byd."

Rhewodd Elin gan amau tybed oedd hwn wedi clywed mwy o'r sgwrs na hynny.

"Mae'r ficer yn holi pryd fydd yr iet yn barod, Dan?" Diolchodd Elin fod y rhingyll wedi troi oddi wrthi erbyn hyn. Roedd rhyw deimlad oer yn dod drosti bob tro y byddai'n ei weld, heb sôn am glywed ei lais.

"Wy'n gweitho arni y foment hon, Mr Chandler," meddai Dan. Doedd Elin erioed wedi gweld gŵr yr efail mor dawel a boneddigaidd.

"Nid dyna oedd y cwestiwn, Dan. Mae'r ficer eisiau gwybod pryd fydd yr iet ar ei bachau. Mae e wedi trefnu digwyddiad ar y lawnt ar y dydd Sul cynta o'r mis nesa ac mae moyn yr ietie newydd yn y porth."

"Wel, gyda lwc ..."

"Na, nid lwc, Dan. Gyda gwaith caled. Dydd da."

Daeth yr heulwen yn ôl i ddrws yr efail. Gadawodd Elin ddigon o amser i'r swyddog fynd o'r golwg cyn mentro allan ei hunan. Penderfynodd adael y clocsiau am ei thraed am y tro rhag tynnu sylw. Cerddodd ar hyd yr hewl am Ddyffryn Ceidrych ac wedi mynd o olwg tai'r Felindre ar y comin, diosgodd ei chlocsiau, gwthio ei dwy law iddyn nhw a dechrau rhedeg. Ffarm Tal-y-garn oedd yr alwad gyntaf. Ianto oedd y ddolen yno. Bachgen rhyw flwyddyn yn hŷn na hi oedd Ianto – un main, cryf a gwên ar ei wyneb bob amser. Daliodd ef yn rhoi bwyd i'r moch yn y twlc ar y clos.

"Hanner nos. Yr Efel-fach. Dan Garn Goch."

"Shwt wyt ti, Elin fach? Wel, mae'n dda 'da fi dy weld di. Smo i wedi gweld neb drwy'r dydd. Mae pawb mor fisi y dyddie hyn, yn 'dy'n nhw. Ac wyt ti'n cadw'n iawn, wyt ti?"

"Ianto, mae'n rhaid i fi fynd."

"Ie, wrth gwrs. Ond gwed wrtho i nawr, pwy ffordd fyddet ti'n meddwl fydde orau i fi fynd â'r neges o gwmpas Dyffryn Ceidrych – lan i'r Garn yn gynta a lawr i Glan Tywi a gwitho'n ôl, neu fel arall?"

"Ianto, smo ti fod i weud wrtho i ble ti'n galw!"

"Nagw i? O na, wrth gwrs wy'n gwbod hynny 'fyd. Ond mae pawb yn gwbod lle mae dy galon di, Elin! Ti'n gweld, Elin fach, dyma'r tro cynta i fi, a wy bownd o geisio gwneud jobyn teidi. Mae e'n gyfrifoldeb, yn dyw e? Ac eto mae e'n hwyl, mae'n rhaid cyfadde a ..."

"Ianto, mae'n rhaid i fi fynd."

"Ble ti'n mynd nesa 'te?"

"Ianto, smo fi'n ca'l gweud wrthod ti!"

"O na, cweit reit. Na, mae'r pethe hyn i fod yn gyfrinachol. Mae isie meddwl am ddiogelwch. Nawr, ganol nos wedest ti, yn dyfe?"

"Na, Ianto. Mae'n rhaid bod yn fanwl. Bydd yr amser yn brin. Hanner nos. Ar ei ben. Ody hynny gyda ti nawr? Yr Efel-fach. Dan Garn Goch."

"Ody, Elin. Weda i wrthyn nhw bod ti'n gweud wrthyn nhw am b'ido bod yn hwyr."

"Na, Ianto. Paid ag enwi neb. Neb. Ti'n deall? Paid â f'enwi i, yn sicr. Ond paid ag enwi pobol Dyffryn Ceidrych wrth ei gilydd chwaith. Rhaid gad'el enwau mas o hyn."

"Ti'n llygad dy le, Elin fach. Mae Dragŵns fel chwyn ym mhobman yr haf hwn. Ac mae clustie slei 'da nhw ar hyd y lle, yn do's. Dim enwe 'te."

"Da iawn ti, Ianto. Nawr mae'n amser i ti fynd â'r neges o gwmpas."

"Wrth gwrs, wrth gwrs. Ond gwed 'tha i, Elin – fe Llew'r efel fydd y Beca y tro hyn eto 'te?"

"Ianto! Dim enwe."

"Cweit reit! Cweit reit!"

Ochneidiodd Elin a'i throi hi am y llwybr drwy'r caeau fyddai'n mynd â hi ar ei phen at Siân Carregfoelgam.

Pennod 14

Am hanner awr wedi un ar ddeg y noson honno, roedd Gwyndaf yn cydgerdded gyda Jorjo, Tom a chriw o ddynion cyhyrog mewn dillad merched ar hyd Dyffryn Ceidrych.

"Faint o griw odyn ni?"

"O! Tyrfa dda, Gwyndaf!" meddai Jorjo. "Dros hanner cant, siŵr o fod – ac mae bois Llangadog ar yr hewl isaf a bois Ffair-fach yn dod o'r cyfeiriad arall."

"Ry'n ni'n werth ein gweld 'fyd!" meddai Tom. "Y peisie gwyn a'r dillad nos – mae fel 'se pob merch yn yr ardal yn cerdded yn ei chwsg!"

"Ac wedi anghofio wmolch cyn noswylio!" meddai Jorjo gan edrych o'i gwmpas ar yr holl wynebau duon yn y fintai.

Baglodd Gwyndaf yn sydyn a bu ond y dim iddo ddisgyn ar ei hyd, ond bod Tom wedi gafael yn ei fraich a'i arbed.

"Wyt ti'n iawn, gwêd?"

"Odw," atebodd Gwyndaf. "Gŵn nos Elin yw hon. Mae'n llusgo'r llawr pan mae hi'n ei wisgo – ac mae hi rhyw ddwy fodfedd yn dalach na fi, yn dyw hi?"

"Bydd yn rhaid iti gario'r fwyell 'na yn un llaw a chodi godre'r gŵn nos gyda'r llaw arall, fel mei ledi yn y plas!" meddai Jorjo.

"Dyna ti, delicet iawn!" chwarddodd Tom. "Weda i un peth – nid fel hyn ma'r Dragŵns yn gorymdeithio i frwydr, yn nag ife!"

Chwarddodd y criw o'u cwmpas wrth i Tom ddynwared y codi pais a gwneud 'chydig stepiau, fel petai'n rhan o ddawns y bonedd ar lawnt y plas. Ond tawelodd y chwerthin wrth i'r darlun o'r marchogion neidio i ddychymyg pob un ohonyn nhw.

Yna, i dorri ar y distawrwydd, dywedodd Gwyndaf,

"Mae Beca'n edrych yn dda ar ei merlyn gwyn."

"Odi, mae 'ddi 'fyd," meddai Jorjo. "Allet ti ddim credu shwt le oedd yn yr efel wrth iddo fe baratoi. Mae'r benwisg wedi'i lapio am ei benglog fel tyrban ac wedyn gwellt wedi'i glymu i wneud gwallt aur o dan hwnnw. Sawl pais ar ben ei gilydd a siôl liwgar a chadwyni o flodau am ei gwddw. Sgarff goch yn wregys am y cwbwl! Mae'n edrych fel brenhines! Brenhines yn cario bwyell!"

"Ac mae Dicw yn ymddwyn yn weddol?" meddai Gwyndaf.

"Odi. Mae ynte wedi'i drimio gyda rhubanau – allet ti mo'i nabod e. Fe fydda i'n sefyll wrth ei ochr e drwy'r amser pan fyddan nhw'n rhoi fflamau i'r ffaglau ac yn canu cyrn a saethu ergyd neu ddwy i'r awyr. Fe fydd e'n ddigon tawel wedyn."

Aeth y criw ymlaen ac ymuno â'r hewl isaf wrth dafarn y Groesffordd ac yna mynd heibio Melin Geidrych.

"Mae rhywrai ar y llechwedd ar y whith i ni fan hyn," meddai Tom. "Odych chi'n gallu'u gweld nhw?"

"Y llwybr i lawr o Lwyn Du yw hwn. Bois Capel Gwynfe yn dod i lawr dros ysgwydd y Garn Goch, siŵr o fod. Maen nhw'n edrych fel ysbrydion!"

Clywodd y dynion alwadau tylluanod a chyfarth cadnoid o lwybr y mynydd ac yna roedd rhyw ddeg ar hugain o ddynion y tir uchel yn rhedeg i lawr y llethr atyn nhw, yn chwifio pastynau ac arfau ac yn sgrechian fel ellyllon y Fall.

"Odych chi'n barod am Angylion Gwynfe?" gwaeddodd y bais wen ar y blaen.

"Wy'n gwbod pwy sy'n berchen y llais garw yna!" gwaeddodd Gwyndaf yn ôl. "Deri Ysgubor Wen!"

"Bachan, bachan – paid â gollwng y gath mas o'r cwd!" atebodd yr 'angel'. "Neu fe fydda i'n gweiddi bod Gwyndaf Tafarn y Wawr yma 'fyd!"

"Dda dy weld di, Deri – a Morgan Cwm-cou ... ac Elis Bryn-coch!" Roedd chwerthin mawr wrth i'r ddau griw ddod i nabod ei gilydd er gwaethaf yr huddygl a'r gwisgoedd od oedd amdanyn nhw.

"O's digon o hawch ar y fwyell 'na?" gofynnodd Morgan.

"Lle ma'r whalu i fod heno 'te, bois?" gofynnodd Elis.

"O's digon o dân yn y calonne?" gofynnodd Deri.

Aeth y dyrfa drwchus ymlaen ac ymuno gyda byddin enfawr oedd eisoes wedi ymgasglu wrth Efail-fach. Cododd bloedd fawr i'w croesawu wrth i'r rheiny weld Beca ar y merlyn gwyn yn barod i'w harwain drwy dywyllwch y nos.

Roedd drws yr efail yn agored a dawnsiai fflamau tân y gof y tu mewn iddi.

"Taniwch y ffaglau, fy mhlant i!" gwaeddodd Beca.

"Mae isie digon o olau ar gyfer gwaith y tywyllwch!" meddai Morgan, wrth gynnau ei ffagl yn fflamau'r efail.

"Tân yffarn ar gyfer y tŷ tyrpeg!" meddai Elis.

"Jiw, jiw – cadw honna draw oddi wrth fy mhais i, grwt!" meddai Deri. "Fydde hi ddim yn dda arna i tawn i'n mynd gatre a thylle llosg ym mhais y wraig!"

Pan oedd y ffaglau ynghyn a'r fyddin wedi'i threfnu yn

orymdaith, esboniodd Beca beth oedd y cam nesaf.

"Ymla'n, fy mhlant i! Wy moyn taith ddirwystr i dre Llan'dilo!"

Aeth y dynion heibio Tŷ-gwyn-bach a Llwyn-maen-du Isaf. Llifai afon Tywi yn agos at y llethr yr ochr honno i'r dyffryn. Gorymdeithai'r dyrfa yn swnllyd a llawen, gan ganu cyrn a thanio gynnau, ac yna ar yr ochr dde iddyn nhw, roedd hen afon Tywi ddofn a'r dolydd tawel. Roedd hi fel petai neb arall ar ôl ar wyneb y ddaear ond Beca a'i Merched.

"Felly Gât Pontbren Araeth amdani!" llefodd Morgan.

"Do's dim isie gwell! Chwarter lleuad – digon da i weld beth ryn ni'n ei fwrw!" llefodd Elis.

"Mae afon Araeth yn canu yng nghoed y cwm bach – fe gawn ni gerddoriaeth yn y cefndir, bois!" meddai Deri.

"Dere mla'n, achan. Mwy o waith a llai o farddoni!" meddai Morgan.

Rhai o'r Merched gyrhaeddodd y gât yn gyntaf. Sŵn mawr ac udo. Beca ar y merlyn y tu cefn iddyn nhw'n gweiddi wedyn mewn llais mawr, cryf:

"Ferched! Pam nad y'ch chi'n symud mla'n? Ry'n ni angen mynd i Land'ilo, smo chi'n cofio?"

Wedyn un o'r Merched wrth y gât yn gweiddi:

"Ni'n ffaelu mynd, Mam! Mae rhywbeth ar draws y ffordd!"

Beca yn colli amynedd,

"Gwnewch le! Gadwch i fi ga'l golwg be sy'n bod! Hys, hys, o'r ffordd!"

Y Merched gyda'i gilydd:

"Beth yw e, Mam? Sdim byd i fod rhwystro hen wraig fel chi rhag mynd i ben ei thaith!"

"Sa i'n deall y peth, Ferched," meddai Beca. "Wy mor hen, Ferched. Mae fy llyged i'n pallu. Arhoswch chi nawr i fi ga'l gweld."

Plygodd Beca ar gefn y merlyn a tharo coed y gât â'i bwyell.

"W! Mae sŵn gwag iddi hi! Wy'n credu mai coeden sy wedi cwmpo ar draws y ffordd. Geson ni storom ddoe, Ferched?"

"Naddo wir, Mam," atebodd y Merched.

Aeth Beca draw a thapo'r postyn, y clo a'r bachau ar y gât.

"Na, nid coeden yw hi ond gât! Mae cadwyn ar y gât ac mae wedi'i chloi! Gât sy'n cadw anifeilied yn eu lle, yn dyfe, Ferched?"

"Ie!"

"Ac nid anifeilied y'n ni, nage Ferched?"

"Nage!"

"Mae rhywun wedi gwneud camgymeriad, Ferched. Beth wnawn ni 'te?"

"Dorrwn ni'r gât, Mam!"

A dyna sŵn torri a llifio a bwyellu a gorddio yn llanw awyr y nos ...

Ymhen pum munud, roedd y gât yn yfflon rhacs. Casglwyd y darnau mân yn domenni a'u rhoi ar dân gyda'r ffaglau. Yna dechreuodd bois y trosol a'r ordd weitho ar y pyst. Sŵn haearn yn bwrw haearn. Roedd gwreichion yn tasgu. Ac yna roedd y cyfan drosodd.

"Hei, Dan, mae darnau da o harn fan hyn ar gyfer yr efel, siŵr o fod!" chwarddodd Gwyndaf gan droi i gyfeiriad Dan Dowlais.

"Do's dim isie iti weud wrtho i, bachan – mae hanner llond

sach 'da fi yn barod. Mae cetyn gât a chadwyn wrth dy draed di – rho gic iddyn nhw 'ffordd hyn!"

Ar ôl cael yr hewl yn glir, aeth Beca ar ei merlyn i aros o flaen drws Tŷ'r Bont a galw ar ŵr y tyrpeg i ddod mas.

"Mae'r fflame'n agos at do'r tŷ!" medde Beca. "Dere di mas yn dawel, a fydd dim niwed yn ca'l ei wneud i ti."

Ddigwyddodd dim am sbel. Aeth y dyrfa yn dawel ...

Yna agorodd y drws a thrwyddo, yn ei grys nos ac yn droednoeth a'i ên ar ei frest a golwg eitha truenus arno fe, daeth gŵr y tyrpeg i wynebu'r Merched.

"Rhybudd yw hyn gan Beca a'i Merched," meddai'r llais ar gefn y merlyn gwyn. "Ar boen ca'l dy gosbi yn llawer gwa'th na hyn, fyddi di byth eto'n cadw gât er mwyn hawlio arian gan werin y wlad sy'n defnyddio'r hewl hon. Byth eto, ti'n deall?"

Gwaeddodd y dyrfa fel pe bai hi'n gweiddi am ei waed, ac ysgydwyd yr arfau yn yr awyr.

"Byth eto – beth yw dy ateb di?" gofynnodd Beca.

Siglodd ceidwad y tollborth ei ben gystal â dweud na fyddai byth eto'n gwneud y fath beth. Bonllef arall gan y Merched ac fe aeth gŵr y tyrpeg 'nôl mewn i'r tŷ.

"Odyn ni'n gad'el y cadno yn rhydd yn ei ffau?" gofynnodd Morgan.

"Odyn ni'n gad'el tŷ y Tryst a'i do yn gyfan?" gofynnodd Elis.

"Odyn ni'n mynd mla'n i whalu gât arall?" gofynnodd Deri.

"Gatre, gatre, fois gwyllt y mynydd!" meddai Gwyndaf. "Mae hyn yn ddigon am un noson!"

* * *

Ben bore drannoeth pan aeth i mewn i lofft ei brawd, edrychodd Elin ar ei wallt tywyll tra oedd hwnnw'n dal i gysgu'n drwm yn ei wely. Agorodd y llenni. Daeth sŵn gyddfol o'r gwely. Trodd i weld fod Gwyndaf wedi troi ei gefn at y ffenest ac wedi plannu'i ben o dan y dillad gwely.

Cerddodd Elin at ochr arall y gwely. Tynnodd ddillad y gwely i lawr fymryn fel bod wyneb ei brawd yn dod yn ôl i'r golwg. Roedd rhychau dwfn ar ei dalcen wrth iddo wgu i geisio gwasgu'i lygaid ynghau.

"Wy wedi dod â dishgled o fara a lla'th enwyn iti, Gwyndaf. Mae e'n dwym. Rwyt ti siŵr o fod bron marw isie rhywbeth i'w fyta. Ac rwy wedi rhoi llwyed o fêl drosto, i ti ga'l bach o dy nerth yn ôl."

Daliodd y ddesgl dan drwyn ei brawd am sbelen go hir. Yn raddol, dechreuodd Gwyndaf anadlu'n esmwythach a llaciodd y tyndra yn ei wyneb. Agorodd lygaid mochyn ar ei chwaer.

"O mae'n hwyr, Gwyndaf. Rwyt ti wedi cysgu orie. Mae bron yn amser cin'o ..."

Sythodd Gwyndaf yn ei wely a dechrau rhwbio'i lygaid. Roedd ar fin taflu'r dillad gwely o'r neilltu a chodi.

"Na, na," chwarddodd Elin. "Dim ond tynnu dy go's di. Dyw hi ddim mor hwyr â 'ny. Nawr, cymer 'chydig o'r bara lla'th a mêl 'ma."

Doedd Gwyndaf ddim wedi rhoi'r llwyaid gyntaf yn ei geg nad oedd Elin wedi gofyn ei chwestiwn cyntaf. Ni roddodd y gorau i'w holi nes gwasgu pob manylyn o hanes y noson o groen ei brawd.

* * *

"A dyna'r hanes yn gyfan?"

"Ie, well i fi godi nawr 'te ..."

"Na, ti'n iawn am ddwyawr arall. Dyw Mam a Dad ddim ar eu tra'd 'to!"

"Beth? Rwyt ti wedi 'nihuno i'n gynnar dim ond i ga'l yr hanes?"

"Mae'r hanes yn bwysig i fi, Gwyndaf. Do'n i ddim yn gallu byw yn 'y nghro'n neithiwr yn meddwl amdanoch chi. Fu bron i fi redeg i ben y Garn Goch i weld a allwn i weld yr orymdaith."

"Ie, whare teg i ti, Elin. Fyddai hi ddim wedi bod gystal noson heb dy waith di."

Edrychodd Elin yn dyner ar ei brawd am funud, heb ddweud gair.

"Pam y llyged meddal 'na, Elin? Be sy'n bod nawr?"

"Ti."

"Beth odw i wedi'i wneud 'te?"

"Petaet ti wedi dod i 'nihuno i'n gynnar – ddwyawr cyn pryd! – ac yna'n cyfaddef hynny, fe fyddwn i wedi neid'o mas o'r gwely, wedi hanner dy ladd di yn erbyn y wal ac wedi dy gario di mas o'r tŷ a rhoi dy ben di yn y ffynnon. Ond beth wyt ti'n ei wneud? Gwenu'n dawel a gweud 'whare teg iti, Elin'!"

Tro Gwyndaf oedd i fod yn dawel. Gwelodd Elin y tynerwch yn ei lygaid yntau.

"A yw hi'n beth rhyfedd ein bod ni mor wahanol i'n gilydd, Gwyndaf. I feddwl ein bod ni'n frawd a whâr – yn efeillied, hyd yn o'd?"

"Natur yw e, Elin. Ro'dd 'da ni ddwy fam-gu a dou dad-cu,

felly mae rhyw gymysgwch rhyfedda ynddon ni, siŵr o fod. Ti'n dalach na fi; wy'n fyrrach ac yn fwy crwn – ro'n i'n baglu ar dy ŵn nos di neithiwr! Ond mae hyn i'w ga'l ymhob teulu. Meddwl di am ... Eleri a Siôn, Glan Sawdde. Brawd a whâr – y ddou'n ddibriod – mae hi â'i hwyneb fel simne drwy'r dydd, bob dydd, yn grac ac yn ddiflas wrth bawb, ac mae e fel llygad y dydd bob amser, bob dydd – a gyda'r nos 'fyd. Dim ond hi sy'n bwysig iddi hi bob amser ond mae e'n rhan o'i gymdeithas. Ro'dd e 'da ni neithiwr!"

"Ie, ond ry'n ni'n efeillied ..."

"Mae efeillied gan Watcyn Harries y groser yn Lland'ilo. Fe alli di dynnu co's un ac mae'n llawn bywyd, ond ma'r llall yn rhy bwysig iti ei gymryd e'n ysgafn a cha'l tipyn o hwyl 'dag e, ac mae e'n cysgu ar ei dra'd, bron â bod. Na, sa i'n meddwl ein bod ni mor wahanol â 'ny, Elin."

"Gwallt tywyll fel tarw Cymreig sy 'da ti ond wy'n olau fel eithinen ..."

"Wy wedi ca'l gwallt Mam ac rwyt ti'n tynnu ar ôl Mam-gu, sef mam Dad, yn dwyt ti? Dyna maen nhw'n weud."

"Ti'n ei chofio hi'n iawn, on'd wyt ti, Gwyndaf? Gwladys, yntefe?"

"Odw siŵr, ro'n ni'n naw o'd pan fuodd hi farw, wy'n cofio'n iawn ..."

"Wyt ti'n cofio lliw ei gwallt hi 'te?"

"Wel, gwallt gwyn wy'n ei gofio ganddi – ond 'na fe, ro'dd hi'n hen erbyn hynny. Mae rhyw 'chydig o felyn yng ngwallt Dad, on'd o's e."

"Ie, gwyn yw'r cof sy 'da fi 'fyd ... Wyt ti'n ca'l breuddwydion, Gwyndaf?"

"Breuddwydion ...? Na, sa i'n credu ... wel, falle 'mod i ond fydda i ddim yn eu cofio nhw ar ôl dihuno. Mae pethe er'ill i'w gwneud, on'd o's e, unw'eth mae rhywun mas o'i wely."

"Wy'n ca'l y breuddwydion rhyfedda ... Ac maen nhw gyda fi drwy'r dydd weithie."

"Freuddwydiest ti neithiwr?"

"Na. Ond chysges i fawr ddim chwaith."

"'Na fe 'te – dyna'r ateb. Paid â chysgu. Wnei di ddim breuddwydio wedyn!"

* * *

Roedd ei mam wedi codi ac yn gorffen clirio'r dafarn pan aeth Elin yn ei hôl i lawr y grisiau.

"Pryd dda'th e i'r tŷ neithiwr?"

"Smo i'n gwbod," meddai Elin, ac wrth iddi ddweud y geiriau aeth ei meddyliau yn ôl at Nest Morgan, Bwthyn Pont Goch.

"Ddaw dim da o ddala dwrn yn erbyn awdurdod. Mae'r llonge carchar 'ma 'n llawn o bobol oedd yn meddwl eu bod nhw'n rhy glefer i ga'l eu dal."

Aeth Elin mas i'r clos. Gwelodd fod ei thad yn gosod y gaseg rhwng breichiau'r cart.

"Ble ti'n ca'l mynd heddi, Seren, a hithe'n ddydd Sul a chwbwl?"

"Wel, ody, mae hi'n ddydd Sul a chwbwl," meddai Brython Rees. "Ac felly gystal i ni roi'r gore i'r dwli 'ma a chymodi, ti ddim yn meddwl hynny, Elin? A weda i wrthot ti'n strêt be sy mla'n. Mae e Mr Chandler moyn inni symud rhai byrdde o'r festri i'r coetiws yn y ficerdy iddo fe ga'l y gweision i'w glanhau a'u paentio nhw'n barod ar gyfer y digwyddiad yn yr ardd ym mis Awst."

"Mae Mister Chandler yn rhoi dipyn o waith i chi, yn dyw e, Dad?"

"Shwt alla i 'i wrthod e? Yr eglwys sy berchen y dafarn 'ma. Dim ond tenantiaid y'n ni – ac all tenantiaid fyth dangos eu dannedd, allan nhw? Os yw e moyn fi a'r cart, wy'n mynd. Ond mae e moyn inni fynd â chasgen i lawr i'r digwyddiad a phopeth – felly bydd rhagor o arian yn dod inni i dalu rhent yr eglwys. Bydd pabell fwyd a diod yn yr ardd, 'twel."

"Beth sy mla'n, felly?"

"Dydd Sul, y chweched o Awst. Mae mab y ficer yn un ar hugen ..."

"Un arall yn byw ar y plwy felly, Dad?" meddai Elin gyda mwy o fin yn ei llais. Trodd ar ei sawdl ac anelu am lwybr y llethr.

Pennod 15

Pan gyrhaeddodd Elin y rhiw oedd yn dringo i Goed yr
Arlwydd, gwyddai fod rhywbeth dierth ynglŷn â'r comin. Wrth
gyrraedd y llannerch, gwelodd bedwar ceffyl mawreddog
wedi'u clymu wrth gangen isel. Dragŵns, meddai wrthi'i hun.
Roedd rhwng dau feddwl i fentro ymlaen at y teulu ond ar
hynny daeth un o'r Dragŵns i'r golwg rhwng y coed ac edrych
yn fygythiol arni.

Rhy hwyr i droi yn ôl, meddyliodd. Ceisiodd gamu'n
hamddenol i mewn i'r llannerch a chyfarch Jorjo, Mari Lee a'r
teulu yn llawen. Yr un pryd, carlamai ei meddwl. Beth gaf i ei
roi yn esgus dros yr ymweliad? Pam 'mod i'n dod at y teulu y
bore 'ma? Daeth syniad sydyn i'w phen.

"Mari Lee, wy wedi dod yma i chi gael gweud fy ffortiwn
wrtho i! Roies i swllt i chi yr wythnos ddwetha, yn dofe, ac fe
wedoch chi wrtho i am fynd gatre i freuddwydio am dair
noson. Wel, dyma fi."

"Dere di draw, Elin fach," meddai Mari, gan ddal llinyn y
stori'n daclus. "Fe gaf i olwg ar dy law di a gwrando ar dy
freuddwydion nawr, ar ôl i'r gwŷr bonheddig hyn bennu eu
galwad. Dere di i ishte wrth 'yn ymyl i a rho dy law yn fy nghôl
i fan hyn."

"What on earth? Will you not speak that foreign tongue in
front of me!"

"He his Capten Dragŵns," meddai Jorjo, gyda gwên

foneddigaidd gan ddal ei law agored i gyfeirio at y swyddog. Gwyddai o hen brofiad sut i ymddwyn yn gwrtais a chlên a chadw'i urddas yr un pryd. "Maen nhw wedi dod o Lan'dyfri heddi, 'twel. Smo nhw wedi gweld Dicw, cofia."

"Is that Welsh they're speaking, Taffy?" gofynnodd y Capten wrth y lleiaf o'r tri Dragŵn. "You can speak that lingo can't you?"

"Yes," atebodd hwnnw. "It is Anglesey I am from – and no, it's not Welsh that's what they speak. It's gyppo language I'm thinking. I can't know a word of it."

"She ... wants ffortiwn," meddai Mari Lee, gan bwyntio at Elin a dangos ei llaw.

"Where was she last night?" Aeth y Capten yn nes at Elin a gweiddi yn ei hwyneb. "Where were you last night?"

Siglodd Elin ei phen a dangos ei llaw.

"Gwedwch wrtho fe fod Dad wedi ca'l benthyca Dicw a'i fod e wrthi'n symud pethe wrth yr eglwys, os bydd e'n holi."

"What she's saying, the stupid girl? What was that about Dacw?" gofynnodd y Capten.

"She ... wants ... name of love," meddai Mari Lee, mewn llais angerddol a rhamantus, gan ddal ei llaw ar ei chalon. "Dacw 'nghariad i lawr yn y berllan, dwylo brwnt fel gwaelod sosban."

Chwifiodd y Capten ei law i ddangos ei fod wedi colli pob amynedd gyda hi.

"So you did not hear anything last night?" gofynnodd wedyn, gan droi at Jorjo.

Siglodd hwnnw ei ben, rhoi ei ddwylo at ei gilydd a rhoi ei ben yn gam arnyn nhw i ddangos ei fod yn cysgu.

"Yes, yes. And where's your horse?"

"Dacw nghariad yn golchi'i ddwylo," canodd Elin, fel petai hi'n dal i fod wedi colli'i phen yn llwyr ar serch. "Coch a gwyn yw'r lliwiau arno ..."

"Man borrow ..." meddai Jorjo, gan estyn arian o'i boced. "Good money ... good. Down in church ..."

Edrychodd y Capten yn syn a dilyn cyfeiriad bys Jorjo.

"Are you saying that you have lent your horse for a fee and that it's being used at the church in the village?"

Gwenodd Jorjo a churo'i ddwylo. Ymunodd y lleill yn y gymeradwyaeth.

"And what colour is this horse of yours? Colour ...? What colour is it?" Pwyntiodd y capten at ei esgidiau du a thynnu ystum gofyn cwestiwn.

Siglodd Jorjo ei ben. Cofiodd eiriau Elin, "Coch a gwyn yw'r lliwie arno."

Pwyntiodd y capten at y bandiau gwynion oedd ganddo ar draws ei lifrai filwrol a gwneud ystum gofyn cwestiwn.

Gwnaeth Jorjo ddrama fawr i chwifio'i freichiau i ddangos ei fod wedi methu eto. Yna rhedodd at ei babell a dangos cornel o'r defnydd oedd yn frowngoch – pwyntiodd at hwnnw. Rhedodd draw wedyn at flows Elin a phwyntio at y rhesi gwynion ynddi.

"Right, so you have a chestnut and white horse. Proper gyppo horse by the sound of it. We're wasting our time here, just as we're doing everywhere else. Back to the village!"

Cerddodd y Capten yn dalsyth drwy'r llannerch gyda dau o'r Dragŵns y tu ôl iddo. Arhosodd yr un roedden nhw wedi'i alw'n Taffy fymryn yn ôl oddi wrth y lleill.

Trodd fel bod ei gefn at ei gyd-filwyr a dweud mewn llais isel i gyfeiriad Elin,

"Os gwelwn ni geffyl coch a gwyn wrth yr eglwys, fyddwn ni'n gwbod mai'r ceffyl benthyg fydd o, yn byddwn, hogan?"

Rhoddodd winc cyn troi i ddilyn y milwyr eraill. Arhosodd y tri arall ar y llannerch yn syfrdan a mud am ennyd.

Roedd Mari Lee yn dal i afael yn llaw Elin ar ei glin drwy gydol yr adeg hwn. Ar ôl i sŵn eu ceffylau ddiflannu, edrychodd ar ei llaw a gofyn iddi.

"Wyt ti eisiau i fi edrych ar dy ddyfodol, Elin?"

Wedi oedi ennyd, tynnodd hithau ei llaw yn ôl.

"Beth ddaw a ddaw, Mari Lee."

"Ie," atebodd hithau. "Fe allwn i edrych yn ôl ar yr hyn a fu hefyd, cofia."

"Na, do's 'da fi ddim llawer o ddiddordeb yn hwnnw chwaith," meddai Elin.

* * *

Ymhell cyn hanner awr wedi naw ar y nos Iau ddilynol, roedd mynwent y capel yng Nghwmifor yn rhwydd lawn. Er nad oedd hi'n ddeunaw oed, roedd Elin wedi cael hawl gan Llew'r gof i fod yn bresennol 'rhag ofon y byddai'n rhaid rhedeg â neges i rywle ar frys'. Gwelodd fod Ianto Tal-y-garn yno, a sawl un arall roedd hi'n eu hadnabod fel rhedwyr. Ni chymerodd yr un sylw ohoni hi. Ond pan basiodd Ianto, cododd hwnnw goler ei got er mwyn wincio'n gyfrinachol arni wrth fynd heibio. Fel pe na bai neb wedi sylwi arno!

"Faint o bobol sy 'ma?" gofynnodd i Llew wrth daro arno.

"Rhwng tri a phedwar cant. Mae'n dyrfa dda. Mae'r llwybrau i gyd yn arwain at y cwm bach hwn heno."

"Hei Llew," meddai un o wylwyr iet y fynwent oedd wedi dod draw atyn nhw. "Mae rhyw Sais wrth yr iet. Mae e moyn dod i miwn i'r cyfarfod ond y teimlad bois yr iet yw nad yw e i fod 'ma. Cyfarfod i ni yw hwn. Ond mae e'n daer – a'r bachan sy 'dag e."

"Pwy y'n nhw?" gofynnodd Llew.

"Dere draw i'w gweld nhw."

Amneidiodd y gof ar i Elin ddod draw gydag e. Wrth nesu at yr iet, gwelodd hithau mai Thomas Foster a Dylan Lloyd oedd yn ceisio cael mynediad i'r cyfarfod.

"Gwrandwch, bois," meddai Llew wrth y stiwardiaid. "Mae'r gŵr bonheddig hwn wedi dod yma'r holl ffordd o Lunden. Casglu storïe am wreiddyn y drwg sy y tu ôl i'r hyn mae Merched Beca yn ei wneud mae e."

"Pardduo ni o fla'n y bobol fowr, dyna ti'n feddwl, ife?" meddai gŵr ifanc a'i lygaid yn wyllt.

"Nage. Mae e'n sgrifennu adroddiade i'r *Times*, y papur mae'r bobol bwysig yn Llunden yn rhoi sylw iddo."

"Ond Saesneg yw hwn'na, yn dyfe?" meddai un arall. "Shwt mae e'n gallu mynd i galon y Cymry – yn Saesneg?"

Camodd Dylan Lloyd ymlaen i'r cylch trafod.

"Wy'n ei arwain o gwmpas y wlad. Mae e'n siarad gyda channoedd o bobol – pobol gyffredin fel chi. Wy'n ceisio cyfleu barn y Cymry iddo fe yn ei iaith ei hunan."

"Ond maen nhw'n whare â'n geirie ni fel cyfreithiwr miwn llys barn," meddai'r llygaid gwyllt wedyn. "Mae'r ystyr maen nhw'n ei roi yn wahanol i'r ystyr sy 'da ni."

"Dyw Thomas Foster ddim yn lliwio'r gwir. Mae ganddo fe barch at y ffeithie," meddai Llew.

"Wyt ti wedi darllen ei adroddiade fe, Llew?"

"Rwy i'n gwneud hynny," atebodd Dylan ar ei ben. "Mae e'n gofyn i fi a yw ei eirie fe'n deg cyn iddo fe'u hala nhw bant i Lunden. Mae llawer o'r papure newydd yn rhoi sylw i'r malu a'r saethu. 'Outrage,' medden nhw. 'We have to restore order,' medden nhw. Maen nhw'n canmol y llywodraeth am yrru dwy fil o filwyr yma. Maen nhw'n lladd ar y werin am mai Cymry ydyn nhw. Dy'n nhw ddim moyn gwrando ar y cwynion na deall yr achos y tu ôl i'r gweithredoedd hyn. Dy'n nhw ddim moyn chware teg na newid y cyfreithie maen nhw'n eu gorfodi arnon ni o Lunden. Ond mae Thomas Foster yn lleisio eich protest chi, mae'n disgrifio'r tlodi mae'n ei weld, mae'n dangos sut mae'r tollau a'r trethi a'r costau bwyd a chost cario nwyddau yn whalu bywyde ac yn anfon teuluoedd i'r wyrcws. Wedi dod yma i wrando ar fwy o'ch hanesion chi, cyfarfod mwy o bobol gyffredin er mwyn cyflwyno rhagor o dystiolaeth i'r papur yn Llunden mae e heno. Ar lawr gwlad Dyffryn Tywi, y fwyell a'r ordd yw eich arfe chi. Ond mae e'n cynnig geirie a disgrifiade a phobol yn adrodd eu storïe ar ben hynny. A dyna'r hyn sy'n mynd i newid pethe er gwell yn y diwedd."

"Allen i ddim ei weud e'n well 'yn hunan!" meddai Llew. "Odych chi'n fo'lon iddyn nhw ddod miwn i'r fynwent nawr, bois?"

"Ie o'r gore 'te," cytunodd y llygaid gwyllt. "Ond rhaid iddo fe gadw at wal y fynwent o'r ffordd."

"A dim torri ar draws a gofyn i'r cyfarfod fod yn Saesneg!" meddai un arall.

"Fe fydda i'n cyfieithu pob gair," addawodd Dylan.

"Gwna hynny'n ddistaw 'fyd."

Agorwyd yr iet a daeth y ddau newyddiadurwr i ganol y cerrig beddau.

"Mae'n siŵr y dylwn i fod yn falch nad oes croeso i fi miwn mynwent!" meddai Dylan wrth Elin.

"Nerfus o fla'n dieithriaid, dyna i gyd," meddai Elin.

"Ddaethon ni ar gart Godre'r Garreg drwy'r afon," meddai'r gof. "Wyddost ti beth yw enw'r rhyd – Rhyd-y-Saeson. Yr ochor draw mae allt o goed ac enw honno yw Allt-y-Saeson. Maen nhw wedi hala milwyr o Lunden i drial ein cadw ni yn ein lle ers canrifo'dd, 'twel. Mae'r wlad yn dal i gofio hynny o hyd."

Daeth Jac y Plow draw a dweud wrth Llew fod gweinidog y capel newydd gael ei ddewis i gadeirio'r cyfarfod.

"Mae siawns bod rhywbeth yn mynd i ddigwydd 'ma cyn hir," ychwanegodd y tafarnwr. "Sa i'n hoff iawn o gyrdde mawr fel hyn. Fe fydda i'n eu gweld nhw fel cart miwn mwd – ffaelu mynd 'nôl a ffaelu mynd mla'n."

Daeth bachgen tua'r un oed ag Elin drwy'r dyrfa ar frys.

"Jac?" meddai, a'i wynt yn ei ddwrn.

Un o'r rhedwyr, meddyliodd Elin. Teimlai falchder yn chwyddo tu mewn iddi wrth wynebu un arall oedd yn rhannu'r un gwaith â hithau. Er nad oedd hi'n ei adnabod nac yn gwybod ei enw, roedd yn teimlo rhyw ddolen rhyngddi a'r llanc.

"Neges gan Iori ..."

"Ie? Ble maen nhw wedi mynd heno?"

"Brechfa."

"Diolch i ti. Diflanna nawr."

Trodd y bachgen ar ei sawdl a'i goleuo hi am iet y fynwent.

Daeth y tafarnwr yn nes at Llew a chlywodd Elin ef yn sibrwd,

"Mae Dragŵns Llan'dyfri wedi mynd am Gil-y-cwm. Mae Dragŵns Lland'ilo wedi mynd am Frechfa. Mae'r hewl yn glir i chi yn Llangadog heno."

Nodiodd y gof. Aeth y tafarnwr ymlaen at ei alwad nesaf, ond nid cyn dweud,

"Mae'n rhaid inni gadw'r pwysau arnyn nhw, Llew. Falle fod storïe am y tlodi a'r camweddau yn y papur, ond harn a thân – dyna sy'n gwneud i'r bobol fawr yna yn Llunden symud i wneud rhywbeth ambwyti'r sefyllfa. Wy'n credu nad o's llawer ohonyn nhw'n deall unrhyw iaith arall."

Gwyliodd Llew ac Elin y tafarnwr yn cerdded o griw i griw. Roedd ganddo air ysgafn a chwerthiniad i'w rhannu gyda sawl un, ond roedd yn torri llwybr pwrpasol drwy'r dyrfa at rywun arall i drosglwyddo neges bwysig arall yr un pryd.

"Mae hi i fod yn Llangadog heno, Elin," meddai'r gof. "Heno. Hanner nos. Pont ar Frân. O'r gore? Tair coeden, tri bwa, tair afon. Wyt ti'n cofio?"

Nodiodd Elin.

"Cer di gyda wal y fynwent a rhwng y beddau ffordd hyn. Gwed wrth bawb ti'n nabod a gwed wrthon nhw am rannu'r neges – ond dim ond gyda'r rhai maen nhw'n eu nabod. Af finnau o gwmpas yr ochor hyn i'r fynwent a draw at y coed uwchben y nant. Wela i ti wedyn."

Ar ôl iddi drosglwyddo'r neges i gryn hanner dwsin o ardal Llangadog, trodd Elin i edrych lle'r oedd y gof arni. O dan un o'r coed uwch y nant, gwelodd ei fod yn siarad â'r gŵr â'r crafat du. Doedd hi ddim yn synnu o'i weld yno. Ond yna gwelodd hwnnw'n rhoi ei law ym mhoced tu mewn ei got a dod â rholyn o bapur i'r golwg. Gwelodd hi e'n rhoi'r rholyn i Llew.

Dechreuodd y cyfarfod ar hynny. Rhoddodd y gweinidog bregeth hir i grynhoi sefyllfa teuluoedd a chymdeithasau'r sir. Cododd siaradwr ar ôl siaradwr i rannu gofidiau a datgan gwrthwynebiad i'r drefn ac i'r cyfreithiau oedd yn eu newynu.

Yn y diwedd, roedd hi wedi tywyllu gormod i'r cyfarfod barhau yn yr awyr agored.

"Dewch miwn i'r ysgoldy yng nghefn y capel," cynigiodd y gweinidog.

Gwthiodd y cannoedd i mewn i'r stafell.

Yn y wasgfa wrth y drws, cafodd Elin ei hun wrth ochr Jorjo a Tom a chafodd y tri rannu 'chydig o eiriau.

"Gwyliwch eich pocedi," meddai llais wrth eu hyml. Trodd Elin a gweld y llygaid gwyllt oedd wrth yr iet cyn dechrau'r cyfarfod. "Mae sipsiwn yn ein plith."

"Hei, dyna ddigon o dy eirie brwnt di! Do's dim isie'r casineb 'ma!" meddai Elin a gwres ei thymer yn rhoi'r hyder iddi fod yn blaen ei thafod. "Mae be wedest ti yn gelwydd noeth ac yn rhagfarn llwyr! Wy'n nabod y bobol hyn. Maen nhw'n ffrindie da i fi. Rwyt ti'n peintio pawb gyda'r un brwsh. Y mochyn grot!"

"Iawn, iawn! Do's dim isie cynhyrfu, groten," atebodd yntau. "Dim ond tynnu co's. Tipyn bach o hwyl. Smo nhw'n gallu wherthin am eu pennau eu hunen 'te? O's dim synnwyr digrifwch i'w ga'l 'da nhw?"

"Dyw beth ddwedest ti ddim yn ddoniol," meddai Elin yn swta. "A phryd wnest ti wherthin am dy ben dy hunan ddwetha tybed? Trin pobol eraill fel hoffet ti ga'l dy drin dy hunan ddylet ti."

Y tu mewn i'r ysgoldy, pasiodd y cyfarfod nifer o gynigion. Galwyd am ymchwiliad i'r gofidiau oedd yn pwyso ar y werin bobl. Gofynnwyd am ostwng trethi. Gofynnwyd am fyddin o egwyddorion i gynnal y gwan yn hytrach na byddin o filwyr i'w gormesu. Galwyd am gael gwared ar y gatie ar hewlydd bach y wlad sy'n cael eu cynnal gan bobl y plwyf, a bod glo, calch a llafur yn cael eu cario yn ddi-doll ar y priffyrdd, hyd yn oed. Galwyd am ddiwygio Deddf y Tlodion a dileu trethi a degwm yr eglwys.

Cododd bonllef uchel o gymeradwyaeth wrth i'r cynigion gael eu darllen yn uchel gerbron y gynulleidfa i ddiweddu'r cyfarfod. Unwaith y daeth y cyfarfod i ben, chwalodd y dyrfa a diflannu i'r tywyllwch. Ond doedd gwaith y noson ddim drosodd i lawer ohonyn nhw.

Cadwodd Elin wrth ochr Llew er mwyn cyrraedd cart y ffermwr oedd yn mynd â nhw'n ôl i Langadog. Wrth iet y fynwent, daethant ar draws y ddau newyddiadurwr eto.

"Roedd hwn'na'n gyfarfod taclus a threfnus iawn," meddai Dylan Lloyd wrthyn nhw. "Mae'n anodd deall shwt mae'r awdurdodau'n gallu anwybyddu neges arweinwyr y gymdeithas. Dyna gawson nhw heno. A shwt maen nhw'n meddwl y gall eu cam dwetha i geisio setlo'r anghydfod weithio yn erbyn tyrfa miwn mynwent a chapel."

"Pa gam yw hwnnw 'te? Beth maen nhw wedi'i wneud nawr 'to?" gofynnodd y gof.

"Chlywsoch chi ddim? Thomas Foster fan hyn gafodd afael ar y stori ac roedd hi yn y papur dan ei enw fe ddoe. Ddydd Sul dwethaf, ar orchymyn y llywodraeth, fe baratowyd i hala pedwar canon alle danio pelenni chwe phwys, a dou ganon mawr alle danio pelenni deuddeg pwys o Woolwich. Fe ddaethon nhw ar y trên wedyn i Fryste ac maen nhw wedi cyrraedd Caerfyrddin erbyn hyn."

"Canons, myn yffarn i!" meddai Llew. "Dy'n nhw ddim yn gallu dala Beca a'i Merched gyda'r ceffyle cyflyma yn y fyddin. Shwt ar y ddaear maen nhw'n meddwl eu dala nhw gyda canons!"

"Ond mae'n swn'o fel eu bod nhw'n paratoi am ryfel yn ein herbyn ni," meddai Elin.

"Beth maen nhw am wneud 'da'r canons 'te?" gofynnodd y gof. "Odyn nhw'n meddwl whalu holl gapeli y sir neu beth?"

Chwarddodd Dylan ond yna sobrodd. Plygodd ei ben yn nes at y ddau a dweud mewn llais isel,

"Un profiad y byddai Thomas Foster yn dymuno'n fawr ei gael yw gweld ymosodiad Beca a'i Merched ar dollborth. Byddai hynny'n rhoi awdurdod iddo fe ddweud yn gwmws beth sy'n digwydd. Fe alle fe wneud cyfiawnder â holl ddrama'r noson. Byddai'n agoriad llygad i bobol Llunden. Odych chi'n meddwl bod siawns iddo fe ga'l gweld hynny o gwbwl?"

"Do's dim ymla'n ar hyn o bryd," meddai Llew heb droi blewyn. "Cyfnod eitha tawel sydd o'n blaenau ni am sbel, wy'n credu. Dyna glywes i, ta beth. Sa i fiwn yn y pethach hyn, ddim fel'ny."

Nodiodd newyddiadurwr y *Journal*.

"Falle y gallwn ni drefnu rhywbeth 'to?"

"Falle."

Aeth y gof ac Elin ymlaen i lawr hewl Cwmifor. Pan laciodd y dyrfa, roedd Llew yn chwerthin i fyny'i lawes.

"Beth sy'n bod nawr?" gofynnodd Elin.

"Ie, noson fach eitha tawel sydd o'n blaenau ni heno. Dim ond mynd gatre, gwisgo fel menyw a malu gât!"

* * *

Yn gynnar iawn y bore canlynol, roedd Elin unwaith eto yn llofft ei brawd yn holi hynt a helynt y noson cynt. Erbyn hyn gwyddai Gwyndaf na allai ei chadw draw nes ei bod wedi cael yr hanes i gyd ac roedd wedi paratoi'i adroddiad yn drylwyr yn ei ben yn barod.

"Ro'dd mwy yn y dyrfa y tro hwn na'r tro cynt. Ro'dd cyment yn casglu wrth Bont ar Frân a'r felin fel ei bod hi'n anodd ca'l trefen ar yr orymdaith. Ond fe ddechreuon ni yn y diwedd – am y pentre'n gynta, troi wrth Dolau-bach ar hyd y ffordd groes ac yna i'r whith dros Nant Dyrfal ac at y gât yn Waun-Ystrad-Meurig. Pen dafad oedd gŵr y gât – ro'dd e'n meddwl y galle fe reoli'r byd a'r betws. Malwyd y gât a'i llosgi y tro hwn. Malwyd ffenestri'r tolldy hefyd a bydde'r dyrfa wedi cario'r gŵr bach blin bant oni bai bod ei wraig e wedi crefu am faddeuant drosto fe. Fe adawodd Beca iddyn nhw fynd i whilo am gatre arall a'u rhybuddio nhw rhag gweitho miwn tolldy byth eto. Wedyn, fe aethon ni 'nôl i'r pentre ac ymosod ar ddrysau festri'r eglwys."

"Festri'r eglwys? Pam hynny?"

"Fan'ny maen nhw'n cadw llyfre'r degwm a threth yr eglwys. Fe dorrwyd dou dwll mawr yn y drws."

"O, fe fydd e Chandler yn hapus heddi 'te!"

"Fydd e ddim yn hapus ar ôl gweld y rhybudd gafodd ei hoelio ar y drws chwaith ..."

Pennod 16

Wedi clywed gweddill stori ei brawd, teimlodd Elin ryw ysfa i fynd i lawr i Langadog i weld a oedd y rhybudd ar ddrws festri'r eglwys yn dal yno o hyd. Allai hi ddim esbonio'r peth. Roedd yn rhaid iddi gael ei ddarllen.

Fu hi fawr o dro cyn rhedeg i lawr drwy'r caeau. Gwisgodd ei chlocsiau a cherdded heibio tafarnau'r sgwâr i gyfeiriad yr eglwys. Cynnar oedd hi o hyd a dim ond y gweithwyr bore oedd ar hyd y lle.

Wrth agosáu at y festri, gallai weld dau dwll fel dau lygad du yn ei ddrws. Edrychai'r ddau fel tyllau llygaid mewn penglog, meddyliodd. Mor hawdd fuasai hi i Beca a'i Merched fynd i mewn i'r adeilad a llosgi llyfrau'r cyfrifon neithiwr, meddyliodd. Cyflymodd ei chalon wrth weld bod darn o bapur wedi'i hoelio ar y pren rhwng y ddau dwll yn y drws yn dal yno o hyd.

Cerddodd yn ofalus tuag ato. Câi ei thynnu i'w gyfeiriad. Ond roedd rhywbeth yn ei thynnu yn ôl hefyd. Roedd neges mewn llawysgrifen gadarn ar y papur. Rhywun oedd wedi arfer ysgrifennu oedd wedi bod wrth y gwaith. Safodd o flaen y drws a dechrau darllen.

Yr ydwyf wedi cael achwyniad gan dy blwyfolion dy fod yn eu gormesu â degwm a threthi'r eglwys, Richard Chandler. Peth arswydus yw bod gwas yr eglwys yn creu tlodion o'r plwyfolion gan achosi iddynt gael eu troi oddi ar eu haelwydydd a'u gyrru ar eu pennau i'r Tloty. Mae dy ymddygiad yn farbaraidd – och! och! A chan och ...!"

Cyfeirio at Edryd a Nest Morgan mae'r rhybudd, meddyliodd Elin. Eitha peth hefyd. Mae angen cyhoeddi hyn o flaen y byd a'r betws. Daliodd ati i ddarllen.

"Bûm i a'm Merched yn holi'n ddyfal yn ddiweddar, ac ymysg pethau eraill a glywais amdanat, mae cyhuddiadau dy fod yn anonest gyda'r arian rwyt ti'n ei godi dan yr esgus ei fod yn dreth yr eglwys i'w wario ar gostau gwasanaethau ac i'w rannu ymysg y tlodion ..."

Dyna'n union mae pawb yn ei ddweud yn y plwyf, meddyliodd Elin. Gwasgu ar y bobl, a'r arian yn cael ei gadw gan y ficer a'i swyddogion. Pwy oedd yn talu am yr ietie crand newydd i'r ficerdy? Pwy oedd yn talu am barti mawr mab y ficer, petai'n dod i hynny? Roedd hwn yn llythyr da, meddai wrthi'i hun. Aeth yn ôl i ddarllen rhagor.

"Yn ychwanegol at yr ymddygiad arswydus hwn, y mae tri achos difrifol o gymryd mantais ar forynion ifanc, a

gwraig yn yr ardal wedi'u dwyn at fy sylw gan fy
Merched yn y plwy. Ugain mlynedd yn ôl, cymeraist
fantais fwy nag unwaith ar forwyn ifanc nad oedd
ganddi'r nerth na'r awdurdod i dy wrthod. Pan
ganfyddwyd hi'n feichiog aed â hi i'r Tloty. Yno y ganwyd
ei mab ac yno y bu'n byw heb geiniog o gynhaliaeth
gennyt ti. Bu'n rhaid iddo fynd yn was ar lynges ei
Mawrhydi ..."

Cododd Elin ei llaw at ei cheg mewn syndod. Dyma
gyhuddiad difrifol i'w wneud yn gyhoeddus, meddyliodd. Ond
mae'n rhaid ei fod yn wir. Roedd Elin ei hun wedi clywed am y
math yma o beth yn digwydd mewn plastai lleol lle'r oedd
nifer o forynion. Ambell ffarm hefyd. Ond gan un o
swyddogion yr eglwys! Aeth yr wyneb neidr yn fwy ffiaidd
fyth yn ei meddwl.

"Ddeunaw mlynedd yn ôl digwyddodd yr un peth eto,
ond y tro hwn gyda gwraig na allai amddiffyn ei hun
wedi i ti glymu'i breichiau hi y tu ôl i'w chefn yn y coed ..."

Roedd pethau'n mynd o ddrwg i waeth, meddai Elin wrthi ei
hun. Doedd neb wedi mentro sefyll yn gyhoeddus yn erbyn y
bwch gafr o'r blaen. Ond roedd pethau wedi newid erbyn hyn.

"Ac yna un mlynedd ar bymtheg yn ôl, wedi iti sathru un
o forynion y ficerdy drwy drais, bu hi farw wrth roi
genedigaeth. Trodd dy ymosodiadau gwarthus ar ferched
yn achos o lofruddiaeth ..."

Llofrudd! Roedd Chandler yn llofrudd ar ben y cyfan! A
dyma'r rhybudd yn y paragraff olaf:

*"Yr wyt i drosglwyddo dy ffortiwn fach a waedais oddi ar
dy blwyfolion i blant y Tloty ac yna gadael yr ardal.*

*Gwyddost fy mod yn dymchwel a malu tollbyrth. Os na
fyddi'n ufuddhau, fel pren maluriedig y tollbyrth y byddi
dithau pan ymwelaf â thi, oherwydd yr wyf yn
gwrthwynebu pob math o ormes.*

Yr eiddot,
Rebeca a'i Merched"

Teimlai Elin yn wan wrth gyrraedd diwedd y rhybudd ar y
drws. Gwyddai fod Beca wedi rhoi rhybuddion fel hyn i
ambell berson arall. Clywsai am ffermwr oedd wedi
meddiannu ffarm ar ôl i deulu arall gael eu troi allan ohoni yn
cael rhybudd. Cafodd sawl meistr tir rybudd. Ond roedd y
cyhuddiadau hyn yn fater i'r gyfraith ...

"Darllen e i fi, Elin."

Trodd Elin i wynebu Mari Lee. Doedd hi ddim wedi clywed
ei thraed yn cerdded i lawr y stryd a hithau'n ddwfn yn ei
meddyliau ei hun.

"Wy'n gwybod ei fod e'n ffiaidd," meddai'r wraig. "Glywes
i am hyn gan Jorjo. Ond mae gofyn i fi ga'l ei glywed e.
Darllen e."

Clywodd Elin nodyn taer yn llais Mari Lee. Roedd ei

llygaid tywyll ar dân. Ufuddhaodd Elin, er bod y geiriau yn ei thagu weithiau. Roedd y dyn yn gwneud iddi eisiau whydu. Wrth ddod at y paragraffau olaf, clywodd Mari Lee y tu ôl iddi'n gollwng anadl ddofn.

"O'r diwedd, mae e wedi ca'l ei weud! Mae e mas ar goedd, ar ôl yr holl flynydde. Diolch byth bod gyda ni Beca erbyn hyn ... Yr hen gythrel ag e!"

"Beth y'ch chi'n feddwl ddigwyddith ar ôl hyn 'te, Mari Lee?"

"O, fydd y gyfreth ddim moyn gwbod, alla i weud 'na wrthot ti'n bendant! Ond y gwir a saif, 'merch i. Dere, mae 'da fi un peth arall i'w wneud cyn mynd o olwg y pentre 'ma."

Dilynodd Elin y sipsi heb ddweud gair.

Aeth y ddwy i lawr Hewl y Llan a throi lan Hewl y Ficerdy. Yna safodd y wraig, ac Elin y tu ôl iddi, o flaen drws un o'r tai mawreddog cyn cyrraedd at y ficerdy. Roedd y llenni wedi'u cau ym mhob ffenest ym mlaen y tŷ, er bod golau i'w weld lle'r oedd y morynion wrth eu gwaith yn y cefn. Ni fentrai Elin ddweud gair. Yn sydyn, trodd Mari Lee a chroesi at ochr arall y ffordd a chodi carreg goch sylweddol o'r wal oedd y tu blaen i ffarm Cwrt y Plas. Cerddodd yn gyflym yn ôl at y tŷ cyntaf ac yna, cyn i Elin allu gwneud na dweud dim, taflodd y garreg drwy'r ffenest wrth ochr y drws.

Roedd y glec yn diasbedain dros y lle. Holltwyd tawelwch y bore o haf. Un funud, doedd neb i'w weld ar y stryd, yna roedd drysau'n agor a phennau mewn ffenestri. Clywodd Elin ffenest y llofft uwch eu pennau'n agor. Edrychodd i fyny a gwelodd fod Richard Chandler wedi agor rhan o'r llenni ac yn pwyso allan drwy'r ffenest yn ei got nos.

Roedd ar fin agor ei geg i weiddi, ond gwelodd Elin ei fod wedi sylweddoli'n sydyn mai Mari Lee oedd yn sefyll o flaen ei dŷ.

Safai'r sipsi yn herfeiddiol gan edrych i fyny ato, ei dwylo wedi'u cau'n ddyrnau yn erbyn ei hystlysau, a'i breichiau wedi'u plygu fel dwy adain o boptu iddi. Roedd yn ei herio i ddweud rhywbeth.

Tynnodd swyddog yr eglwys ei ben yn ôl a chau'r llenni yn sydyn.

Cyn i Elin gael cyfle i ddweud dim, agorodd y drws ochr a daeth gwraig fer, gron yn gwisgo ffedog wen a chap gwyn mas trwyddo. Heddwenna'r gogyddes oedd hi. Cerddai fel corgi, ei hysgwyddau a'i phen-ôl yn rhowlio a'i breichiau cigog yn chwifio fel dyn â dau gryman.

"Beth yw hyn, y jipsen fach â ti?" rhuodd ar Mari Lee. "O's colled arnat ti, gwed? Whalu ffenest gŵr parchus yn y pentre. O's 'da ti ddim ofon y doc na Duw? Yn y jâl fyddi di ar dy ben, a gwynt teg ar dy ôl di!"

Doedd Mari Lee ddim hyd yn oed yn edrych arni.

"Catrin." Roedd gwraig cegin Chandler wedi troi i weiddi yn y drws cefn. "Catrin!"

Rhedodd morwyn fach o'r tŷ.

"Cer i hôl brwsh a rhaw fach!"

Rhedodd hithau'n ôl i'r tŷ a rhedeg mas unwaith eto gyda'r offer.

"Mae gwydr ar lawr o dan y ffenest 'ma ar ôl y gath wyllt o'r coed! Cwyd e. Yna cer miwn i'r stydi i glirio'r annibendod sydd yn fan'no. Wy'n mynd i ga'l gair gyda Mr Chandler i weld pryd fydd y gyfreth yn cyrra'dd i fynd â hon bant."

Daliodd Mari Lee ei thir heb ddweud gair.

Erbyn hyn, roedd y pennau yn nrysau'r tai wedi troi i fod yn dyrfa fach yma ac acw. Cyrhaeddodd pentrefwyr o'r strydoedd eraill. Roedd rhai yn pwyntio'n ôl at y festri a gwaith y nos. Yn amlwg, roedd y neges a'r rhybudd ar y papur ar y drws yn destun siarad.

Ar ôl i Catrin godi'r darnau mwyaf o'r gwydr ar ei rhaw, aeth â nhw i gefn y tŷ.

Ddaeth neb yn agos at Mari Lee a ddwedodd hithau ddim gair wrth Elin chwaith. Dechreuodd Elin feddwl pa mor hir gallai hi aros fel hyn ar y stryd, a hithau'n sefyll rhwng y rhai oedd yn sibrwd siarad â'i gilydd a'r sipsi. Doedd a wnelo hi ddim byd â malu'r ffenest, wedi'r cwbwl.

O'r lle safai, gwelodd ddrws y stydi'n agor a Catrin gyda'i brwsh a rhaw'n ymddangos yn y stafell. Camodd Mari Lee ymlaen nes ei bod wrth y twll yn y ffenest.

"Dere â'r garreg yna sy ar y bwrdd i fi – fe af i â hi i'w rhoi'n ôl ar y wal."

Edrychodd Catrin yn ofnus arni.

"Shwt mae e'n dy drin di, Catrin fach? Yw e'n dy basio di a gwthio yn dy erbyn di ar y grisie weithie pan fydd gen ti lond dy freichie? A beth mae e'n wneud i ti bryd hynny? Yw e'n plygu drosot ti pan wyt ti'n gwneud tân oer iddo fe yn y stydi? Wyt ti'n gorfod mynd â phaned o de iddo fe i'w wely, neu wydred o bort iddo fe yn hwyr y nos, falle ...?"

Plygai pen Catrin yn is yn dilyn pob cwestiwn.

"Nawr, dere â'r garreg 'na 'nôl i fi ga'l dy helpu di."

Yn araf, rhoddodd y forwyn fach y rhaw a'r brwsh yn erbyn y wal. Trodd at y bwrdd a chodi'r garreg. Heb godi'i golygon i edrych yn ei llygaid, estynnodd y garreg i Mari Lee drwy'r twll yn y ffenest.

"Diolch i ti, 'merch i. Gobeitho cei di le gwell na fan hyn yn glou."

Cododd Mari Lee y garreg uwch ei phen a'i thaflu drwy ffenest arall yn y wal yr ochr bellaf i'r drws crand. Cododd ochenaid o fraw a rhyfeddod o'r dyrfa oedd yn gwylio. Trodd hithau at y gynulleidfa ar y stryd a dal ei phen yn uchel.

"Mae carreg yn gallu siarad. Gwrandewch ar y garreg."

Trodd ar ei sawdl a cherdded draw i gyfeiriad y ficerdy.

Clywodd Elin leisiau'n siarad yn uwch ymysg pobl y stryd.

"Lle mae hi'n mynd nawr?"

"O! Ody hi'n mynd i wneud yr un peth i'r ficer?"

"Weda i un peth, mae ar Mr Chandler ei hofon hi!"

Taflodd Elin un cip arall ar lenni'r llofft. Gwelodd y rheiny'n crynu rhyw ychydig. Mae e'n ei gwylio, meddyliodd. Trodd hi a rhedeg ar ôl Mari Lee. Beth oedd hon yn mynd i'w wneud nesaf? Oedd y ficer wedi gwneud rhyw ddrygioni yn ogystal?

Ond cerdded heibio'r ficerdy wnaeth y sipsi. Cerdded ymlaen yn gyflym heibio'r cae agosaf a throi wedyn am y llwybr fyddai'n mynd â hi'n ôl am gomin Carreg Sawdde. Nid oedd gair i'w gael o'i phen.

Wedi mynd dros bompren i groesi nant fechan, cydgerddai'r ddwy ar y comin i gyfeiriad y bont a'r tyrpeg. Trodd Mari Lee ei phen at Elin.

"Mae'n rhaid i fi ga'l gair gyda'r gof. Ar fy mhen fy hunan. Ddwedaist ti rywdro dy fod ti'n whare rhedeg gyda plant y tyrpeg? Cer atyn nhw. Dysga nhw i redeg yn glou, yn arbennig y merched."

Trodd oddi wrthi eto a'i gadael yno gan frasgamu i gyfeiriad yr efail.

Pennod 17

Cerdded, nid rhedeg, wnaeth Elin ar ei ffordd gartref. Roedd darnau o'r rhybudd ar ddrws festri'r eglwys yn troi a throi yn ei meddwl. Sut oedd Beca'n gwybod yr hanesion i gyd a hithau erioed wedi clywed gair cyn hynny? A sut oedd esbonio'r hyn a wnaeth Mari Lee?

Cofiodd yn sydyn lle'r oedd wedi gweld y papur ar ddrws y festri cyn hynny. Yn y fynwent yng Nghwmifor! Cofiodd weld y rholyn papur yn cael ei drosglwyddo o boced y gŵr â'r crafat du i ddwylo Llew'r gof. Gwnaeth hynny iddi arafu'i cham a meddwl yn ddyfnach.

Pan gyrhaeddodd Dafarn y Wawr, roedd ei mam yn rhedeg a rasio o stafell i stafell, yn ceisio gwneud popeth yr un pryd.

"Ble buest ti, groten? Mae gwaith yn galw a llond côl o waith i'w wneud heddi."

"Beth sy mla'n?" holodd Elin.

"Smo ti'n cofio fi'n gweud wrthot ti pwy ddiwrnod? Mae Rhys Prydderch y porthmon yn cyrra'dd heddi."

"Ody hi'n amser iddo fe ddod, ody 'ddi?"

"Nawr, cer i mofyn y llien gwyn o waelod y ddresel a rho fe dros y bwrdd wrth y ffenest yn y stafell fach yn y ffrynt. Dyna'i hoff fan e – bydd e'n gallu byta'i bryd a mwynhau'i ddracht fach a bwrw golwg mas ar y ca' a gweld ei ddefed."

Rhys Prydderch fyddai'r porthmon cyntaf yn y tymor newydd i alw yn Nhafarn y Wawr bob blwyddyn. Ar ddiwedd yr haf, byddai ef a'i yrwyr yn symud y defaid o fryniau Dyffryn Tywi i bori adlodd y cynaeafau gwair yn nyffrynnoedd Honddu, Gwy a Wysg a'r ffermydd yn nwyrain Cymru cyn eu bod yn mynd i farchnadoedd Llundain yn yr hydref.

"Ble mae Gwyndaf?"

"O, bore pawb pan godo! Ro'dd hi'n anodd ei ga'l o'r gwely 'na heddi. Mae e a'i dad yn gosod iet newydd ar y Cae Bach. Mae defed Rhys Prydderch yn galw am gloddie cadarn neu byddan nhw bant."

"O, mae e'n gallu codi ietie yn ogystal â'u whalu nhw yw e?"

"Dyna ddigon o siarad wast! Smo ni'n trafod y mater yn y tŷ hyn, groten. Mae rhai pethe nad o's isie eu gweud. Gwell cadw'n dawel."

Roedd hyn ar feddwl Elin wrth iddi osod y bwrdd. Pam fod pobol yn cadw'n dawel am rai pethau? Ofn, penderfynodd yn y diwedd. Byw mewn ofn roedd pobol. Ond roedd Beca wedi agor y drws. Doedd dim rhaid ofni popeth fel o'r blaen.

"Mae'n rhaid inni baratoi swper cig oen at heno." Daeth Tegwen Rees i mewn i'r stafell fach i daflu llygad barcud dros waith Elin. Sythodd y llien bwrdd y mymryn lleiaf. Sychodd y gyllell a'r fforc a'r llwy yn ei ffedog i godi mwy o sglein arnyn nhw. Aeth at y ffenest a chraffu arni.

"Galli di olchi'r ffenest nesa. A bydd isie tynnu'r dwst oddi ar y silff ac ar y ddresel fach. Dere i'r gegin wedyn – fe ddechreuwn ni ar y swper fel ei fod e'n gallu ca'l ei bobi'n araf. Dyna shwt ma'r porthmyn yn moyn e."

Yn ddiweddarach yn y gegin roedd Elin eisiau codi mater y rhybudd ar y drws ac ymateb Mari Lee, ond wyddai hi ddim ble i ddechrau ar y sgwrs. Doedd hi a'i mam ddim yn ei chael hi'n rhwydd trafod pethau o'r fath. Penderfynodd neidio dros ei phen i'r dwfn.

"Dowlodd Mari Lee garreg drwy ffenest stydi Richard Chandler y bore 'ma."

"Beth? Mowredd!" Gollyngodd Tegwen Rees ei hun yn sydyn ar gadair wrth y ford i gael ei gwynt ati.

"Wyt ti'n iawn, Mam? Ac wedyn, fe wna'th hi'r un peth 'to ... Be sy, Mam? Allen i dyngu fod y garreg wedi dy fwrw di ac nid gwydr ffenestri Chandler ..."

"Gwaith y nos, y dydd a'i gwêl," atebodd ei mam, a'i meddwl ymhell o gegin y dafarn.

"Beth mae hynny yn ei olygu, Mam? Dyw e ddim fel Mari Lee, yw e? Mae hi'n llawn cymwynase. A wedodd hi ddim wrtho i i egluro pam wnaeth hi hynny. Fel arfer mae hi'n llawn hanesion 'fyd."

"A llawn cyfrinache."

Ni fentrodd Elin dorri ar y saib hir a ddilynodd geiriau ei mam.

"Ond, mae'n well anghofio ambell gyfrinach a symud mla'n," meddai Tegwen yn y diwedd.

"Dyw Mari Lee ddim fel yr hyn mae rhai pobol yn ei weud am y sipsiwn, yw hi?" meddai Elin.

"Mae pobol bob amser ofon y bobol sydd y tu fas i'w harferion nhw," meddai Tegwen. "Pobol wahanol, pobol ..."

"Pobol nad y'n nhw'n barchus fel ni, ife? Fel pobol yr eglwys? Fel Richard Chandler ...?"

Cododd Tegwen Rees mor sydyn ag yr eisteddodd.

"Mae angen mwyar arna i ar gyfer pwdin i'r porthmyn. Cer i'r caeau i gasglu rhai i fi. Mae'n gaddo glaw mawr ddechre'r wythnos, medden nhw. Fyddan nhw wedi sbwylo'n tjwps ar ôl hynny. Mae digon i ga'l ar y cloddie ar hyn o bryd."

Wrth gasglu llond powlen o fwyar, roedd Elin yn closio at y bwlch lle'r oedd Gwyndaf a'i thad yn gosod iet newydd, a dechreuodd sgwrsio gyda'r ddau wrth gasglu'r ffrwythau oedd yn sgleinio ar y mieri.

"Ddarllenest ti'r rhybudd ar ddrws y festri neithiwr, Gwyndaf?"

"Do. Ro'dd un o'r Merched yn dala ffagl o dân wrth y drws fel bod pawb o'dd moyn ei ddarllen e – neu'n gallu darllen – yn ca'l y cyfle."

"O'dd dipyn o drafod wedyn, siŵr o fod."

"Pawb yn siarad yn ddiddiwedd. O'dd hyn i gyd yn newydd i fi ac i lawer yr un fath â fi."

"Oeddech chi wedi clywed yr hanesion hynny, Dad?" gofynnodd Elin.

"Pwy hanesion nawr?"

"Wedes i wrthoch chi mas fan hyn y bore 'ma, Dad ..." meddai Gwynfor.

"Richard Chandler," meddai Elin. "Wel?"

"Sa i'n un i wrando ar gleber. Chi byth yn gwbod be sy'n wir a be sy'n gelwydd. Ody'r tywydd yn mynd i ddala nawr neu o's mwy o law ynddi hi?"

"Ond mae'r hanesion wedi'u sgrifennu ar ddu a gwyn nawr," meddai Elin, gan fynnu mynd yn ôl at yr un testun.

"Sa i'n gwbod. Mae rhyw hen niwl draw am y Mynydd Du, on'd o's e?"

"Ond beth ry'ch chi'n gredu, Dad?"

"Mae'n anodd gweud yr adeg hon o'r flwyddyn – ry'n

ni rhwng dou dymor yn dy'n ni?"

"Ry'ch chi'n osgoi'r peth, Dad! Weles i un peth gyda'n llyged 'yn hunan y bore 'ma," meddai Elin. "Fydd hi'n stori fawr cyn nos, siŵr o fod, ond ro'n i yno ..."

"Beth welest ti, Elin?" gofynnodd Gwyndaf, yn falch am unwaith mai fe oedd yn holi'i chwaer yn hytrach na'i bod hi fel arall o hyd.

Adroddodd Elin hanes y digwyddiadau yn Stryd y Ficerdy.

"Beth wnewch chi o hynny 'te?" gofynnodd i'r ddau ar ôl gorffen ei stori.

"Ro'dd Tom a Jorjo gyda ni neithiwr ac fe glywon nhw beth sy ar y rhybudd," meddai Gwyndaf. "Ond ody Anna yn gwbod am hyn 'te?"

"Do'dd hi ddim yno y bore 'ma, os mai dyna beth wyt ti'n ei feddwl."

"Os yw Mari Lee wedi cyrraedd 'nôl i Goed yr Arlwydd, fydd Anna'n gwbod," meddai Gwyndaf yn dawel ei feddwl. "Maen nhw'n rhannu popeth. Maen nhw'n deulu agored fel'na."

"Wy wedi sylwi ar hynny," meddai Elin. "Maen nhw'n deall ei gilydd am eu bod nhw'n gweud y gwir wrth ei gilydd."

"A do's yr un cwmpo mas yn para'n hir wedyn," meddai Gwyndaf.

"Mae'r iet 'ma'n agor yn rhwydd nawr," meddai Brython Rees, gan ei siglo'n ôl ac ymlaen ac yna'i gwthio nes ei bod hi'n cyfarfod â'r postyn derbyn. "Rho di ddolen o raff i gydio'r iet wrth y postyn, Gwyndaf. Fydd defed Rhys Prydderch hyd yn o'd ddim yn gallu dianc nawr – er bod rhai ohonyn nhw'n gallu neidio fel geifr."

"Bydd hi'n dda ca'l anifeilied yn y caeau 'ma 'to," meddai Gwyndaf. "Pa mor hir fyddan nhw 'ma?"

"Mae Rhys yn dod â rhyw hanner cant lan o fryniau Cennen heddi. Wedyn maen nhw moyn hôl rhyw ddeugien arall o Gapel Gwynfe fory, a nifer tebyg o Landdeusant drennydd ac wedyn fe fyddan nhw'n mynd am Aberhonddu."

"Ar hyd llwybre'r mynydd," meddai Gwyndaf, gan edrych draw at y Mynydd Du.

"Yn rhydd o bob toll ac yn eu hamser eu hunen!" meddai Elin. "Wy'n credu yr hoffwn i fod yn borthmon."

"Dyw e ddim yn waith i fenyw," meddai'i thad.

"Fe all pethe newid," meddai Elin. "Dyw'r ffinie ddim yn aros yn hir yn yr un man."

"Wy'n mynd i'r seler. Rhaid i fi dapo casgen at heno," meddai'i thad. "Bydd rhai o ffermwyr yr ardal 'ma yn siŵr o ddod draw heno er mwyn ca'l clywed pa newyddion sy gyda'r porthmyn."

"Clebran, chi'n feddwl, Dad?" gofynnodd Elin.

"Na, trafod prisie'r farchnad. Shwt gynhaea mae hi wedi bod miwn ardaloedd eraill. Mae'r pethe hyn yn bwysig. Mae'r porthmyn 'ma'n crwydro o gwmpas y wlad ac maen nhw ..."

"Maen nhw'n clebran yn wa'th na haid o hwyed miwn pwll dŵr!" meddai Elin.

"Wyt ti'n mynd i weld Mari Lee pnawn 'ma?" gofynnodd Gwyndaf i'w chwaer ar ôl i'w tad eu gadael.

"Na, fydd Mam yn gwneud yn siŵr na fydda i'n rhydd heddi," atebodd Elin.

"Fe garen i fynd," meddai Gwyndaf. "Ond falle fydden i'n tramgwyddo'r teulu?"

"Jiw, jiw Gwyn, ti'n nabod nhw'n ddigon da. Ac mae Mari Lee yn galon agored bob amser. Os bydd hi moyn llonydd, fe wedith hi wrthot ti am fynd. Tria ga'l dy dra'd yn rhydd pnawn 'ma 'te."

Ni chafodd Elin hoe i hyd yn oed hel meddyliau tan i'r porthmyn gyrraedd. Er hynny, roedd rhuban o eiriau yn mynnu dod yn ôl i'w haflonyddu o hyd – "wedi i ti glymu'i breichiau hi y tu ôl i'w chefn yn y coed ..." Roedd hi'n medru gweld y darlun yn fyw o flaen ei llygaid. Mae'n ddarlun cythreulig, meddai wrthi'i hun.

* * *

"Hai-hai-hai, hai-o!"

Ddiwedd y prynhawn, clywodd Elin alwadau cyfarwydd yn dod i fyny ochr y bryn. Roedd y porthmyn wedi croesi afon Sawdde yn un o'r rhydau cudd y gwydden nhw amdanyn nhw ac yn cerdded lan yr hewl am y dafarn. Rhedodd Elin mas i'r clos ac agor yr iet newydd iddyn nhw. Siôn, un o'r gyrwyr ifanc, oedd yn cerdded ar y blaen, a'r praidd yn ei ddilyn; Harri y gyrrwr ifanc arall yn eu hysio o'r cefn; yna'r hen borthmon, Rhys Prydderch, ar ei ferlyn yn chwifio'i ffon yn yr awyr i gyfarch merch y dafarn, a Haden, yr ast goch Gymreig yn dawnsio y tu ôl iddo. Aeth y praidd i mewn i'r cae heb drafferth, gyda Haden yn eu sodlu i'r dde ac i'r chwith fel byddai'r angen.

"Shwt wyt ti, Elin, prydferthwch y ddaear!" meddai Rhys Prydderch wrthi pan gyrhaeddodd y iet. "Ho! Iet newydd i'r tymor porthmona, ife? Dyma beth yw croeso! O, ac mae tamed bach blasus o borfa yma 'fyd. Fyddan nhw'n eitha hawdd i'w cadw o fewn y cloddie am nawr. Ble mae'r brawd 'na sy 'da ti? Ceith e fynd â'r merlyn i'r stabal."

Disgynnodd y porthmon oddi ar gefn y merlyn a rhoi'r ffrwyn i'r ferch.

"Dyw e ddim 'ma ar hyn o bryd, Rhys Prydderch. Af fi â'r merlyn melyn 'ma i'r stabal. Mae hwn yn un newydd, yn 'dyw e? Sa i'n credu 'mod i wedi gweld hwn o'r bla'n."

"Dda'th e o Dregaron. Brynes i e'n Llanybydder ddechre'r haf wrth i fi ddechre cerdded rownd y ffermydd i edrych ar y stoc. Cynan. Merlyn gwydn ar y mynydde, ond bod blewyn o dymer 'da fe. A ma'n rhaid iddo ga'l llond ei fola!"

"Pwy sy ddim!" meddai Harri. "Mae angen bod yn gyflymach wrth drafod y defed na'r da. Gwaith llwglyd yw'r porthmona 'ma."

"Paid ti poeni dim, Harri bach. Gei di lond dy fola yn y dafarn hon. Fyddi di'n cysgu fel porchell hapus yn y sgubor heno. Ewch chi â'ch pacie oddi ar Cynan nawr a dilynwch Elin."

Roedd y ddau yrrwr wedi bod ar lwybrau'r porthmyn ers dwy flynedd felly roedden nhw'n gyfarwydd â Thafarn y Wawr erbyn hyn.

"Ry'n ni bownd o ga'l croeso yn Llangadog. Ry'n ni'n gwbod hynny'n net," meddai Harri. "Dyw hi ddim yr un fath ym mhobman, cofia di, Elin. Ry'n ni'n gorfod cadw'n nes at y pentrefi a'r trefi ar ôl croesi Clawdd Offa. Do's dim mynydde yn Lloeger a do's dim ffyrdd rhydd ar y tiroedd uchel i ga'l yno. A dyw'r tafarne ddim wedi arfer gyda dyn'on ag ôl gwaith arnyn nhw."

"Rhaid iti gyfadde bod golwg y jawl arnot ti erbyn diwedd y dydd ar ôl bod wrth gwt yr anifeilied!" chwarddodd Siôn. "Fyddi di'n gagle o dy ben i dy glocsie ac yn drewi o dom!"

"Pan fyddwn ni'n agosáu at ein llety, wyt ti'n gwybod beth mae'r bobol grintachlyd 'na yn ei wneud? Maen nhw'n codi'r carpedi, yn tynnu'r llenni a llanw'r jwgie â hen gwrw!"

"Wel, bydd llien ar eich byrdde chi heddi a bydd y cwrw gore yn y jwg," meddai Elin. "Ond well i chi fynd at y basin ar y clos i folchi yn gynta. Ewch iddo fe dros eich penne, dyna fydden i'n awgrymu!"

Chwarddodd y bechgyn.

"Dim ond os doi di i olchi'n cefne ni, Elin!" meddai Siôn.

"Mae isie i ti olchi dy dafod yn gynta, gwboi!"

Gofalodd Elin am y merlyn a rhoddodd waedd ar lofft y stabal i ofyn a oedd y bechgyn yn iawn cyn mynd yn ôl i'r gegin i helpu'i mam gyda phryd yr hwyr.

Wedi cael llond eu boliau ac ambell dancard o gwrw'r Plow, roedd hwyliau da yn y bar.

Dechreuodd ffermwyr cyfagos gyrraedd ac roedd dipyn o drafod gwerth y stoc ar y farchnad a faint o bennau oedd gan y porthmyn i'w gyrru tua'r dwyrain.

"Wyt ti'n mynd ar dy ferlyn i Gapel Gwynfe fory 'te, Rhys?" gofynnodd ffarmwr Cae-rhyn.

"Nagw. Wy'n mynd o gylch ffermwyr Llangadog i weld shwt dda sydd i ga'l ffordd hyn ar gyfer teithie'r hydref. Fyddan nhw'n ddigon cryf i gerdded i Loeger neu fyddan nhw'n cwmpo'n farw ar hyd y cloddie, fel y rhai ges i 'da chi'r llynedd!"

"Chei di ddim gwell na da Llangadog!" meddai un arall yn frwd.

"Ga' i weld fory. Ceith y bechgyn redeg i Gapel Gwynfe i moyn y defed," meddai Rhys.

"Gall Elin man hyn roi ras iddyn nhw," cynigiodd un arall. "Weles i ariôd groten gyflymach na hi!"

"Gawn ni weld fory 'te!" meddai Siôn.

"Pryd y'ch chi'n gad'el?" holodd Elin.

"Gyda'r wawr," meddai Harri. "Fel mae enw'r dafarn yn ei weud."

"Ddangosa i'r ffordd i chi 'te," meddai'r ferch. "Gewch chithe ddala lan pan allwch chi."

Cododd ton o chwerthin ar draws y bar.

Aeth Elin at y ffenest. Doedd Gwyndaf byth wedi dod yn ei ôl.

"Unrhyw newydd ar draws y sir?" gofynnodd un o'r ffermwyr i'r porthmon.

"Beca hyn a Beca'r llall yw hi ym mhobman," meddai Rhys. "Ond mae sawl tân arall ar gro'n y bobol 'fyd. Wy newydd ddod o Gwm Cennen. Mae cwmpo mas mowr sha Llandybïe – mae'r plas wedi dwyn y comin wrth Hendre Agored a Dyffryn Gwinau, a maen nhw'n cau comin y pentre nawr."

"Ie, cau Hendre Agored, dyna ichi neud celwydd o'r enw, yn tyfe?" meddai un arall.

"Mae Comin Carreg Sawdde gyda chi o hyd yn Llangadog, yn dyw e?" gofynnodd Rhys. "Rhaid i chi gadw eich dwylo arno fe neu bydd y meistri tir wedi'i ddwgyd e. Dim ond gair drwy'r llywodr'eth yn Llunden maen nhw moyn, wedyn gallan nhw godi walie a chau ietie a throi'r dyn cyffredin mas o'i fwthyn."

Roedd cytundeb a llawer o chwyrnu gyddfau a chau dyrnau a tharo'r byrddau yn y bar.

"Glywsoch chi am yr helynt yn Llangadog ben bore 'ma 'te ...?"

Pennod 18

Gadawodd Elin ei chartref wrth i belydrau cynta'r wawr godi dros y Mynydd Du a tharo wyneb carreg y dafarn.

"Wy'n falch fod Haden yn ca'l dod gyda ni," meddai Elin. "O leia bydd rhywun yn cadw cwmni i fi pan fydda i'n gad'el y ddou ohonoch chi ymhell ar ôl."

"Dyw bore heddi ddim yn fesur teg," atebodd Siôn. "Gawson ni gyment o fwyd neithiwr …"

"Heb sôn am y cwrw ffein …" meddai Harri.

"A sylwes i dy fod ti wedi mynd i dy wely'n gynnar. Cyn i Gwyndaf ddod gatre, hyd yn o'd."

"Lle ry'n ni'n mynd gynta?" gofynnodd Elin.

"Mae Rhys wedi trefnu bod y ffermydd yn dod â'r defed i gyd i un cae – Cwm Gwenllan, yr ochor hyn i Gapel Gwynfe," meddai Harri.

"Awn ni lan yr hewl i Bantmeinog a draw am Bant-y-grafog 'te," meddai Elin. "Allwn ni groesi afon Sawdde o dan Godre'r-waun. Dim ond dilyn Nant Gwenllan fydd isie wedyn."

"Rwyt ti'n nabod y llwybre, whare teg iti groten," meddai Siôn.

"Bant â ni 'te!" Tynnodd Elin ei chlocsiau a'u gwisgo am ei dwylo yn ôl ei harfer gyda'r ddau yrrwr yn edrych yn rhyfedd arni. Ond wrth ei gweld yn rhedeg yn llyfn o'u blaenau, gwnaeth Siôn a Harri yr un peth. Roedd Haden wrth ei bodd, wrth gwrs, ei thafod mas a gallai Elin daeru ei bod yn chwerthin wrth drotian gyda nhw.

"Pa mor bell yw hi o fan hyn i Gwm Gwenllan 'te?" holodd Siôn.

"Rhyw dair milltir."

Caeodd ei geg wedyn gan arbed ei anadl ar gyfer y rhedeg. Er bod porthmyn yn cerdded tua deuddeg neu bymtheg milltir y dydd, a'r gyrwyr yn gwneud llawer mwy na hynny gan eu bod yn gorfod rhedeg y ffordd hyn a'r ffordd arall er mwyn cadw trefn ar yr anifeiliaid, roedden nhw wedi arfer â threfn weddol hamddenol i'r dydd. Doedd dim diben hala'r da a'r defaid gerdded yn rhy glou neu bydden nhw'n rhy fain ac esgyrnog erbyn cyrraedd y farchnad. Mynd â basgedi gweigion i'w gwerthu fyddai hynny. Os byddai angen pwl sydyn o redeg, roedd modd arafu a chael y gwynt yn ôl yn ddigon clou wedyn.

Ond doedd dim hoe ar daith Elin y bore hwnnw. Falle fod y bois yma'n wydn ac yn gallu dal i fynd drwy'r dydd, bob dydd am dair wythnos a mwy weithiau, meddyliodd. Ond oedden nhw'n gallu rhedeg dros bellter? Roedd hi wedi rhedeg y llwybr hwn at Lowri Pant-y-grafog gyda negeseuon y Beca sawl gwaith dros yr wythnosau diwethaf. Roedd yr hewl yn codi dipyn am y filltir gyntaf ac wedyn yn cadw ar ysgwydd y bryn ar hyd yr ail filltir fwy neu lai at gartref Lowri. Penderfynodd wasgu'r bechgyn dros y filltir gyntaf.

Ar ôl hanner milltir, roedd hi a Haden wedi hen adael y gyrwyr. Roedd hwn yn brofiad newydd iddyn nhw. Wedi iddyn nhw gyrraedd cyffordd Pantmeinog, roedd 'da nhw ddewis – chwith neu dde.

"Pa ffordd a'th hi dwêd?" meddai Rhys, gan eistedd ym mol y clawdd.

"Sdim clem 'da fi! Galw ar Haden."

Galwodd a chwibanodd y ddau ar yr ast a dechreuodd honno gyfarth o'r lle'r oedd Elin wedi mynd gyda hi i guddio y tu ôl i stabal Pantmeinog. Gollyngodd yr ast yn rhydd ac yna daeth hithau i'r golwg gyda gwên ddireidus ar ei hwyneb.

"Ie, ni'n gallu gweld dy fod ti'n gallu rhedeg!" meddai Siôn.

"Gan bwyll o hyn mla'n, Elin. Smo ni moyn bod 'nôl yn rhy gynnar neu fe fydd Rhys yn ein hala ni i Landdeusant i hôl praidd arall yn y pnawn."

"Mae hi'n gyfforddus braf o hyn mla'n, bois. Gyda'r llechwedd a throi yn raddol uwchben afon Sawdde."

Wrth gyrraedd Pant-y-grafog, daeth Lowri mas o'r tŷ ar hast pan welodd fod Elin wedi cyrraedd.

"O's neges, Elin? O's rhywbeth i fod i ddigwydd? O's rhywbeth wedi digwydd?"

"Ddim heddi, Lowri. Heb glywed dim am yr wythnos nesa eto. Porthmona ry'n ni heddi. Fyddwn ni'n ôl ffordd hyn gyda phraidd o ddefed y pnawn 'ma."

"O, 'na fe. Ody'r cŵn 'ma'n gweitho'n weddol iti, Elin?" gofynnodd Lowri gan edrych yn ddireidus ar Haden ac yna ar y ddau fachgen ifanc.

"Mae siâp eitha da ar yr ast goch," atebodd Elin. "Ond mae gwaith dysgu ar y cenawon ifenc!"

Dyna sut oedd hi weddill y dydd, gydag Elin wrth ei bodd yn tynnu coesau'r bechgyn o flaen bugeiliaid ardal Capel Gwynfe.

"O ie, roedden ni'n amau ers blynydde nad o'dd llawer o

dân ym mechgyn Rhys Prydderch, yn doedden ni, bois?"
meddai un o'r ffermwyr wrth drosglwyddo'i ddefaid i'r
ddiadell. "Rhaid i chi fod yn go glou i gael y pris gorau yn y
farchnad ac ry'n ni wedi sylwi bod y prisie'n is ers rhyw
flwyddyn neu fwy!"

Ganol y prynhawn, cyrhaeddodd y tri yn ôl i Dafarn y
Wawr gyda'r defaid. Roedd yn rhaid i Elin fynd i helpu yn y
gegin wedi hynny. Cyn swper daeth newyddion o'r pentref,
drwy law Dan Dowlais, wrth i fwy o ffermwyr a'u gweision
grynhoi yn y dafarn i ddala lan gyda straeon y porthmyn.

"Ro'n i yn y llan y pnawn 'ma yn gosod iet newydd y
ficerdy," meddai Dan. "Weles i'r cyfan gyda fy llyged fy
hunan."

"Beth o'dd hynny, Dan."

"Y Richard Chandler 'na."

"Beth wna'th e, Dan?"

"Dda'th e mas o'i dŷ, heibio i fi drwy'r iet. Lan at y tŷ a
mynd miwn at y ficer. Agorodd drws y ffrynt cyn iddo fe
ddringo'r grisie at y tŷ. Ro'dd rhywun wedi'i alw fe yno,
bownd o fod – ro'n nhw'n dishgw'l amdano fe. Fuodd e yno
am dros awr ..."

"Ie, beth wedyn, Dan?"

"Jiawch, ma'r tancard 'ma'n wag, bois ..."

"Elin, dere â'r jwg i roi peint bach arall i Dan. Co'r arian i ti
ar y ford fan hyn."

"Wel," meddai Dan ar ôl gwlychu'i big. "Pan dda'th e mas,
ro'dd ei grib e wedi ca'l 'i thorri. Ro'dd yn ddigon hawdd
gweud ar y ffordd ro'dd e'n cerdded. A'th e i'w dŷ ei hunan a
chyn bo hir, da'th Heddwenna'r gogyddes mas gyda bag yn ei

llaw ac fe roddodd hi lond pen i rywun oedd yn holi beth oedd yn mynd mla'n. Ro'dd Catrin y forwyn fach yn dangos dipyn mwy o ryddhad wrth iddo fe ad'el. Wedyn da'th gwas y ficer o stable'r ficerdy gyda cheffyl a chart. Arhoson nhw o fla'n tŷ Chandler. Dda'th hwnnw mas o fewn dim a rhoi cyfarthiad ar y gwas. Hwnnw a'th miwn a gorfod cario dwy gist mas i'r cart. Dringodd Chandler i'r cefn ac eistedd ar y sedd gro's a dyma'r gwas yn rhoi proc i'r ceffyl ar eu taith, ble bynnag ro'dd hwnnw'n mynd â nhw."

"Welwn ni mo lliw 'i din e yn y plwy hwn 'to, bois," meddai un o'r ffermwyr.

"Wel, o leia ga'th e ddim ei hala i'r wyrcws fel rhai," meddai un arall.

"Beca wedi gwneud ei gwaith unwaith 'to, wedwn i," meddai un arall wedyn.

Aeth y sgwrs yn ei blaen i'r cyfeiriad hwnnw a rhestru buddugoliaethau Beca a'i Merched, gan godi hwyl a balchder ymysg y criw.

Pan ddaeth Gwyndaf yn ôl o'i grwydro, aeth Elin ato'n syth a sibrwd,

"Lawr i'r seler. Nawr. Mae 'da fi newyddion."

Yn lled-dywyllwch a lled-ddistawrwydd y seler, rhannodd Elin y diweddaraf am Richard Chandler.

"Lle buost tithe?" gofynnodd i'w brawd. "O's 'da ti newyddion i finne?"

"'Da Anna. A'i mam. Mae 'da fi i rywbeth i'w weud wrthot tithe. Ishte ar y gasgen, Elin. Dyw e ddim yn newyddion cyfforddus."

"Be ti'n feddwl? O's rhywbeth wedi digwydd?"

"O's. Ond cyn 'yn dyddie ni. Deunaw mlynedd yn ôl ..."

"Deunaw mlynedd yn ôl! Y rhestr ar y rhybudd!" meddai Elin. "Ai dyna sy 'da ti?"

"Ie, deunaw mlynedd yn ôl ..."

"Yr ail ar y rhestr – 'clymu'i breichie hi y tu ôl i'w chefn yn y coed ...?'"

"Ie." Bu saib hir.

"Mari Lee o'dd y ferch honno," meddai Gwyndaf yn dawel yn y diwedd. "Wedodd hi wrtho i am weud wrthot ti. Ro'dd hi moyn i ti ddeall ..."

"Mari Lee? Gafodd hi'i dala ganddo fe? Ei chlymu ...? O! Mari fach ..."

Daliodd Elin ei phen yn ei dwylo. Sythodd mewn sbel.

"Dim rhyfedd ei bod hi wedi towlu'r garreg 'na drwy'i ffenest e ... ddwywaith!"

"Fe alle hi fod wedi gwneud rhywbeth llawer gwa'th iddo fe a fydde neb yn gweld dim bai arni," meddai Gwyndaf.

"Dyna ddwedodd hi am blant y tyrpeg a sdim rhyfedd: 'Dysga nhw i redeg yn glou, yn arbennig y merched.' Dyna'i geirie hi, Gwyndaf."

"Fe ddysgodd hi Anna shwt mae rhedeg 'fyd. A tithe."

"Ro'n i'n meddwl mai hen arfer y sipsiwn oedd e. Ond mae'n fwy na hynny."

"Ody. Ro'dd hi isie i ti ddeall pam fod pethe wedi digwydd fel gwnaethon nhw yn Llangadog ddoe."

"Fe af i lan i'w gweld hi, gynta galla i."

* * *

Dyddiau prysur oedd dyddiau'r porthmyn. Wedi'r rasio i Gapel Gwynfe, roedd y bois eisiau cwmni a chyfarwyddyd Elin ar y llwybrau i Landdeusant. Maes-pant oedd y man cyfarfod yno, ac roedd Elin unwaith eto yn gyfarwydd iawn â'r daith i Bant-y-gwin lle byddai fel rheol yn trosglwyddo neges y Beca i Idris, mab y ffarm honno.

"Mae hon yn nabod pawb yn y wlad!" meddai Siôn mewn rhyfeddod, wrth ei gweld yn cael sgwrs sydyn gyda'r bachgen ar glos ei ffarm.

Pan oedd y defaid ar eu ffordd yn ôl am Langadog, edrychodd Elin tua'r Mynydd Du o ben y bryniau cyn mynd i lawr am Gwm Llwyn-y-bedw.

"Do's dim golwg o'r Mynydd," rhybuddiodd y gyrwyr eraill. "Mae cwmwl du ar ei ben e. Bydd glaw cyn nos."

Drwy groen eu dannedd, llwyddodd y tri a Haden i yrru'r defaid yn ddigon clou i mewn i gaeau'r dafarn fel roedd y dafnau cyntaf o law yn disgyn.

"Glaw storom o haf yw hwn," meddai Rhys Prydderch. "Bydd llifogydd ar ôl hyn. Allwn ni ddim dechre bore fory fel roedden ni wedi gobeitho. Bydd y nentydd a'r afonydd yn rhy uchel."

Gan nad oedd y porthmyn yn fodlon talu'r tollau am gael defnyddio'r ffyrdd tyrpeg a'r pontydd, roedd yn rhaid iddyn nhw aros am dywydd ffafriol fel y gallen nhw groesi rhydau'r nentydd ar eu taith. Roedd cerdded gyda'r defaid yn waith mwy peryglus na cherdded gyda'r gwartheg ar dywydd gwlyb. Trodd y storm yn law cyson am ddyddiau. Roedd ffermydd y bryniau fel petaen nhw'n swatio ac yn suddo'n is i mewn i'r tir bob dydd am ddyddiau.

"Do's dim gwa'th na chymylau isel a niwl wrth geisio dilyn llwybrau'r mynydd," meddai Rhys Prydderch. "Allech chi golli diadell gyfan ar adege felly. Pfft! Fe fydde hi wedi diflannu fel'na."

"Heb sôn am y dŵr ar y tir," meddai Harri gan daflu cip slei at yr hen borthmon. "Mae rhai o'r llwybre'n troi'n afonydd – a dyw pob un ohonon ni ddim ar gefen merlyn!"

Bore Mawrth yr aeth y ddiadell ar eu taith. Harri ar y blaen a thrigain o ddefaid yn ei ddilyn. Yna Siôn o flaen trigain arall. Rhys Prydderch ar ei ferlyn yn cadw trefn yn y cefn a Haden ym mhobman. Roedd hi'n olygfa werth ei gweld, ond roedd Elin yn ysu am weld cyffro'r gadael yn diflannu o amgylch y tro yn y ffordd iddi hithau gael dianc am Goed yr Arlwydd.

Er ei bod hi'n gynnar, gwyddai y byddai'r sipsi o flaen ei phabell yn y llannerch.

Rhedodd yno bob cam nes bod ei chorff yn chwysu wrth ddringo'r rhiw. Pan welodd Elin, cododd Mari Lee a mynd i'w chyfarfod a'i chofleidio. Teimlodd wres y rhedwraig yn toddi ei chorff oer. Roedd y dagrau ar fochau Elin yn golchi'i chorff.

* * *

Aeth Elin a Gwyndaf yno bob dydd yr wythnos honno. Gan fod Tom a Jorjo yn dal i gael gwaith yn cynaeafu ar ffermydd y bryniau, doedd dim hanes fod eu gwersyll haf yn dod i ben.

"A bydd y cynhaea llafur yn dechrau cyn hir," meddai Gwyndaf. Gwyddai y byddai angen digon o ddwylo i glymu a chario'r ysgubau. Eto, roedd yntau'n deall mai taith oedd bywyd y sipsi. Roedd y tymhorau gwahanol yn golygu llwybrau gwahanol iddyn nhw. Pan fyddai'r dafarn yng nghanol prysurdeb paratoadau'r porthmyn ar gyfer teithiau Medi a Hydref, byddai'r sipsi'n symud am Henffordd, i weithio yno yn ystod y cynhaeaf afalau a'r cynhaeaf hopys.

Ond doedd yr haf ddim drosodd eto. Un bore yn nechrau Awst, daeth Tom â newyddion o'r ffarm yng Nghwm Cennen lle'r oedd wedi bod yn trin y gwair.

"Helynt mawr ar gomin Llandybïe nos Lun," meddai.

"Helynt?" gofynnodd Elin.

"Beca," meddai Tom wedyn.

"O's tollbyrth yno 'te?"

"Chwalu'r waliau i lawr. Y waliau maen nhw'n eu codi er mwyn dwyn y tir i'r stad."

"Chwalu wal! Mae hynny'n dipyn mwy o waith na malu gât!" meddai Gwyndaf.

"Fe adawodd Beca neges yn gweud fod cau'r comin yn dwyn hawlie pobol gyffredin yr ardal, hawlie sy wedi bodoli ar hyd y canrifo'dd," meddai Tom.

"Gan bobol mae'r hawlie, nid gan Llunden," mynnodd Mari Lee.

"Peth ofnadw yw e pan fyddan nhw'n dwyn 'ych gwlad chi oddi arnoch chi," meddai Jorjo. "Maen nhw'n dwyn yr hewlydd, dwyn y mynydd, dwyn y comin. Ry'n ni'r sipsiwn yn deall yn iawn beth sy'n digwydd. Pobol wedi colli'n gwlad ydyn ninne 'fyd."

"Mae rhaid i ni wneud yn siŵr na fyddan nhw'n dwyn Comin Carreg Sawdde," meddai Elin.

"Na Choed yr Arlwydd," meddai Jorjo. "Wedodd Llew'r efel wrtho i unweth mai Coed yr Arglwydd o'dd enw hwnnw ar un cyfnod – ac ro'dd y tir comin yma wedi'i roi gan y tywysog Rhys Ieuanc, Arglwydd Castell Meurig – yr hen fryn pridd yna uwchben afon Sawdde, er mwyn i bobol yr ardal allu ca'l budd ohono."

"Gadwn ni fe'n sownd, peidiwch becso dim," meddai Elin.

A doedd neb yn y cwmni'n mynd i ddadlau gyda hi'r noson honno.

Pennod 19

"Hon yw'r noson fawr," meddai Llew wrth Elin yn stabal yr efail ar y dydd Mercher. "Fyddwn ni mas drwy'r nos. Fyddwn ni'n glanhau'r dyffryn cyfan o'r gatie."

"Beth yw'r tair coeden 'te?" gofynnodd Elin.

"Nos Wener, 4ydd Awst. Rhyd-y-saint. Deg o'r gloch."

"Ody hi'n well i fi ychwanegu un goeden arall – 'Drwy'r nos'. Fydde hynny'n rhoi rhybudd iddyn nhw i baratoi?"

"Bydde. Ti'n iawn, Elin. A gwed wrth bawb all wneud hynny ddod ar gefen ceffyl neu ferlyn."

"Ac mae deg o'r gloch yn gynnar?"

"Mae'n gorfod bod felly. Mae'n dipyn o daith, ti'n gweld. Byddwn ni'n dechre gyda gât Pont-ar-llechau ..."

"Mynd lan y dyffryn, felly? Chi'n siŵr bod fi fod i ga'l gwbod hyn i gyd?"

"Mae'n bwysig iti fod yn gwybod, Elin. Rhag ofon ..."

"Rhag ofon beth?"

"Rhag ofon i bethe fynd o 'whith. Ti'n gweld, byddwn ni'n cadw i fynd lan y dyffryn a thorri gatie'r Mynydd Du ..."

"Fe allech chi ga'l 'ych dala miwn cornel wrth wneud hynny?"

"Yn gwmws. Pe bai'r Dragŵns yn dod ar y'n hole ni i fla'n y cwm, bydden ni fel llygod miwn trap. Ond mae Iori'r Plow yn gweud bod cynllunie'r Dragŵns wedi'u gwneud yn barod – bydd Dragŵns Lland'ilo yn mynd am Bumsaint drwy

Dalyllyche a bydd Dragŵns Llan'dyfri'n mynd i'r un lle drwy Lanwrda. Maen nhw wedi llyncu'r stori bod noson fowr i fod ym Mhumsaint nos Wener. Maen nhw'n meddwl y byddan nhw wedi creu trap doufiniog – gyda'r cleddyfe'n cau ar Beca a'i Merched o ddou gyfeiriad."

"Shwt lwyddoch chi i'w ca'l nhw i lyncu'r celwydd 'te?"

"Y'n ni wedi bod yn gw'itho ar hyn ers wythnose. Ers y dechre. Maen nhw'n ymddiried yn un sy'n rhannu gwybod'eth iddyn nhw ..."

"Cyn i chi fynd dim pellach, Llew," meddai Elin, gan dorri ar ei draws. "Mae'n rhaid i fi rannu rhywbeth sylwes i arno 'fyd. Mae'n anodd gweud hyn, ond gyda'r perygl yn fwy nag arfer nos Wener, mae'n bwysig nad o's bradwr ymysg Merched Beca, yn dyw e?"

"Ody. Ti'n iawn. Ond sa' i'n credu bod bradwr ..."

"Maddeuwch i fi, Llew." Taflodd Elin gip i gyfeiriad drws yr efail lle clywai Dan wrth ei waith. "Pethe bach weles i gyda fy llyged fy hunan. Maen nhw'n taflu amheuaeth ar Dan ..."

"Dan?"

Yn gyflym ac yn nerfus, adroddodd Elin yr holl gyfarfodydd amheus roedd hi wedi sylwi arnyn nhw rhwng Dan a'r awdurdodau. Ymddiheurodd yn llaes i'r gof ei bod hi'n parddu ei fab fel hyn, ond roedd hi'n teimlo bod yn rhaid iddo gael gwybod. Ar ôl iddi orffen, gwelodd yr hen of yn cuddio'i wyneb yn ei fraich a meddyliodd ei fod am ddechrau llefen ...

Ond yna daeth ffrwydrad o chwerthin, nes bod ei holl gorff yn crynu.

"Dan, Dan!" galwodd y gof ac roedd Elin wedi dychryn i

waelod ei bod wrth i Dan ddod ac agor drws y stabal.

"Dan – ti'n cofio fi'n gweud wrthot ti am fod yn ofalus nad o'dd neb yn dy weld di pan o't ti'n ca'l dy gyfarfodydd bach gyda'r Dragŵns a Bishop?"

"Ie. Odw."

"Wel, mae un pâr o lyged wedi dy ddala di'n deg! Mae hi wedi gweld popeth!" Chwarddodd y gof eto a phwyntio at Elin.

"Ody hi nawr?" Rhoddodd Dan winc iddi. "Fuest ti'n siarp fel barcud 'te, Elin!"

"Dan sy wedi gosod y trywydd anghywir i'r Dragŵns," esboniodd Llew. "Ond yn gynta, rodd yn rhaid iddo fe ga'l 'i weld fel bradwr dibynadwy ..."

"Ond fe halodd e'r Dragŵns i Goed yr Arlwydd ar ôl malu Gât Castell Meurig. Fe allen nhw fod wedi dala Dicw'n rhwydd ..."

"Ro'dd Dan wedi bod lan yn rhybuddio Jorjo yn gynta. Roedden nhw'n dishgw'l y Dragŵns. Roedden nhw'n whare'r gêm 'fyd, ti'n gweld ..."

"Ond Pumsaint ... fe alle'r Dragŵns fod wedi dala Beca bryd hynny oni bai 'mod i ..."

"Taro'n gynnar a chuddio oedd y bwriad gwreiddiol," esboniodd Llew. "Ro'dd y Dragŵns yn credu Dan ac yn credu taw anlwc iddyn nhw o'dd y noson honno."

"Felly mae Dan wedi gweud wrthon nhw am fynd i Bumsaint eto nos Wener?"

"Do, a byddan nhw yno yn gynnar y tro hwn. Ma'r gatie wedi'u codi yno eto. Felly maen nhw wedi llyncu'r cyfan. Mae Iori wedi gweld hynny'n glir."

"Ond beth am Dan?" holodd Elin. "Fyddan nhw'n gwbod y bydd e wedi'u twyllo nhw?"

"Mae Dan yn mynd i Ferthyr fory. Esgus archebu mwy o harn. Fydd e ddim 'nôl am dair noson, felly fe all e weud bod Beca wedi newid y trefniade tra o'dd e bant."

Ystyriodd Elin y cyfan. Yna nodiodd ei phen a gwenu.

"Mae e'n glefer iawn! Mae e wedi'i w'itho'n bert. Felly bydd Beca Llangadog yn ddiogel?"

"Mor ddiogel â Banc yr Eid'on Du!"

"Ac ry'n ni'n siŵr nad o's neb yn cario storïe?"

"Na, gan fod Dan cystal bradwr, dy'n nhw ddim wedi whilo am neb arall yn yr ardal hon, 'twel," chwarddodd y gof. "Do's dim bradwr yn Llangadog na Dyffryn Sawdde. Do's neb yn cario clecs i'r awdurdode. Allwn ni fod yn dawel 'yn meddylie am 'ny. Ar ôl whalu gatie'r Mynydd Du, byddwn ni'n dod yn ôl yn glou ar hyd hewl Dyffryn Sawdde, taro gatie Llangadog unweth 'to, a'r un ar Bont ar Dywi, a'i gorffen hi yn rhyddhau Comin Carreg Sawdde o'i gatie. Naw o gatie miwn noson!"

"Mae un peth arall, Llew," meddai Elin.

"Mae rhagor i ga'l gyda'r groten! Mae Beca bownd o fod yn falch fod hon ar ei hochor hi!"

"Mae plant mân gan deulu Powells gât Pont Comin Sawdde. Os na fydd y tad miwn gwaith, fyddan nhw yn y wyrcws ..."

"Bydd Beca'n gofyn iddo fe Seimon Powell b'idio â chodi tolle ar y bont fyth eto," meddai Dan.

"Bydd. Ond mae Beca yn erbyn y wyrcws 'fyd," meddai Elin. "Mae'n erbyn pob anghyfiawnder. A wy wedi bod yn meddwl ..."

"Ie, mas ag e, Elin," meddai Llew.

"Mae swydd wag yn eglwys y plwyf. Mae Chandler wedi gad'el. Cadw llyfre, cownts, bod yn decach wrth i'r eglwys fynd ar ofyn pobol y plwyf – fe all gŵr tolldy'r bont wneud hynny i gyd,"

"Ti'n iawn," meddai'r gof. "Fe alle Beca ad'el nodyn nos Wener ar ddrws y ficerdy ..."

"Yn gweud y bydd ei ietie newydd e yn afon Tywi ac y bydd coed yr ardd wedi'u cwmpo i gyd cyn parti'r mab ar ddydd Sul os na fydd e'n gwrando!"

"Mae Elin 'ma wedi meddwl am y cwbwl, Dan!"

"Cerwch i weud wrth y gŵr â'r crafat du am sgrifennu rhybudd 'te!" meddai hithau.

"Shwt ar y ddaear o't ti'n gwbod taw ..."

Chwarddodd Elin a cherdded am y drws.

* * *

Y tu fas i'r efail synnodd wrth weld Mari Lee yn cerdded tuag ati ar y ddôl.

"Ro'n i wedi deall mai fan hyn fyddet ti," meddai wrth Elin pan ddaeth hi'n ddigon agos ati. "Dere gyda fi."

Cerddodd yn ei blaen ar hyd y comin a throi am hewl Rhyd-y-Saeson. Er bod Elin yn holi digon arni, doedd dim llawer o atebion gan y sipsi.

Pan ddaeth y ddwy i olwg y rhyd, edrychodd Mari Lee yn ofalus ar y dŵr yn yr afon.

"Mae'r llif wedi gostwng nawr ar ôl y glaw mawr yr wythnos ddwetha," meddai cyn hir.

"Ody. Ond sa i'n deall beth sydd a wnelo fi â ..."

"Mae'n rhaid cymryd sylw o freuddwydion," meddai Mari Lee gan droi ati. "Wyt ti'n cofio fi'n gweud hynny wrthot ti?"

"Odw, ond ..."

"Neithiwr, ges i freuddwyd amdanat ti. Roeddet ti'n rhedeg drwy ddŵr. Nawr, sa i moyn gwbod, sa i moyn i ti weud dim wrtho i. Ond mae rhyw neges yn y freuddwyd. Ddois i â ti fan hyn i ti ga'l ymarfer. Dyw'r afon ddim uwch na hanner dy goese di yn y rhyd heddi. Fyddi di'n iawn. Os ti'n clywed y llif yn canu wrth fynd dros gerrig y rhyd, mae'n ddiogel. Afon dawel sy'n beryglus. Yn honno mae'r dŵr yn ddwfwn. Nawr, tyn y clocsie a rhed gro's yr afon."

Ufuddhaodd Elin a cheisio rhedeg drwy'r llif. Er nad oedd yn uchel, roedd hi'n anodd symud yn gyflym drwyddo. Trodd i edrych yn ôl ar Mari Lee gan chwerthin wrth godi'i choesau a thasgu dŵr dros ei dillad.

"Paid â chodi dy dra'd mas o'r dŵr!" gwaeddodd y sipsi arni. "Gwthia dy hunan drwy'r afon yn lle ceisio codi dy goese mas o'r dŵr. Cadw'r coese'n syth."

Gwrandawodd Elin ar y cynghorion. Er nad oedd hi'n teimlo ei bod yn rhedeg, sylweddolodd ei bod yn symud yn gynt.

"Nawr, dere 'nôl a gwna'r un peth 'to!" gwaeddodd Mari Lee arni ar ôl iddi gyrraedd y lan yr ochr draw. Mynnodd ei bod hi'n gwneud hyn deirgwaith.

"Rhaid i ti deimlo'r cerrig ar wely'r afon â dy dra'd. Wyt ti'n gallu gwneud hynny?"

"Odw, gan bwyll," atebodd Elin.

"Dere 'ma." Tynnodd y sipsi wregys o gotwm lliwgar roedd

yn ei gwisgo am ei chanol a'i glymu dros lygaid Elin.

"Nawr, wy moyn i ti redeg gyda glan yr afon, yn y dŵr bas. Dyw e ddim lan at dy figyrne di. Rhed lan yr afon yn gynta. Dim ots bod y dŵr yn tasgu. Cer yn glouach! Reit – tro, a dere'n ôl. Mor glou ag wyt ti'n gallu mynd. Dala i deimlo'r cerrig â dy dra'd. Rhaid iti ga'l yr hyder nad wyt ti'n mynd i gw'mpo."

Gyrrodd Mari Lee y ferch yn ddi-saib am hanner awr ac yn y diwedd galwodd arni i roi'r gorau iddi ac i dynnu'r mwgwd oddi ar ei llygaid.

"Beth oedd hynny i gyd 'te?" gofynnodd Elin ar ôl iddi gael ei gwynt ati.

"Freuddwydies i mai rhedeg yn y nos oeddet ti."

"Yn rhedeg drwy ddŵr a hynny yn y nos?"

"Ie."

"Mae hynny'n od iawn, Mari Lee."

"Pethe od yw breuddwydion. Cer di mas heno nawr i ymarfer rhedeg yn y nos. A nos fory 'fyd."

* * *

Erbyn prynhawn Gwener, roedd Elin wedi ymarfer rhedeg yn y tywyllwch ddwy noson o'r bron. Y prynhawn hwnnw, wrth iddi baratoi at ei thaith o gylch y dyffryn i rannu'r wybodaeth am alwad Beca'r noson honno, roedd hi'n dechrau bwrw glaw.

Roedd breuddwyd Mari Lee yn gywir y byddai'r llwybrau'n wlyb, dywedodd wrthi'i hun. Ond roedd hi wedi gwneud camgymeriad wrth ddweud taw rhedeg yn y nos fyddwn i.

Diolchodd am yr ymarfer ar gerrig gwlyb, serch hynny.

Cadwodd ei chyflymder ond ni chwympodd, chwaith. Rhannodd y neges, ond roedd teimlad rhyfedd yn ei chnoi y tro hwn. Allai hi ddim peidio â meddwl am Rachel, Mei a Dafy' yn y tolldy bach wrth y bont.

Rhoddodd help llaw i Gwyndaf i wisgo'i bonet a'i gŵn nos hi, ond doedd yr hwyl wrth baratoi ddim yr un fath ag arfer. Gwyliodd ef yn gadael y clos toc wedi hanner awr wedi naw. Roedd hi'n bwysig na fyddai e'n hwyr y noson honno ...

Teimlodd y lwmp yn ei pherfedd yn chwyddo. Yna gwnaeth benderfyniad cyflym, cadarn. Doedd dim troi'n ôl arni wedyn.

Gwisgodd ei siôl ac aeth mas i'r clos. Roedd cawodydd y prynhawn wedi troi'n law mân erbyn hyn. Dechreuodd redeg i lawr yr hewl am y pentref. Trodd a dilyn y llwybr drwy'r caeau. Croesodd hewl Dyffryn Sawdde a rhedeg at y bont i'r comin. Cnociodd ar ddrws y tolldy.

Pan ddaeth Seimon Powell i ateb y drws, roedd ei gyfarchiad yn swta.

"Do's dim tâl ar gerddwyr i fynd drwy'r gât, groten. Paid â'n styrbo i i ddim byd ..."

"Glou, dewch â'r plant i fi," meddai Elin. Roedd wedi paratoi ei geiriau yn ei phen wrth redeg i lawr o'r dafarn. "Gaiff Nona eich gwraig ddod 'da nhw 'fyd. Fyddan nhw'n ddiogel wedyn."

"Be sy'n bod ar dy ben di?"

"Do's dim amser i ddadle. Gwnewch fel wy'n gweud. NAWR!"

Wrth glywed lleisiau'n codi wrth y drws, daeth ei wraig yno i weld beth oedd yn bod.

"Ry'ch chi'n ca'l llofft y porthmyn yn Nhafarn y Wawr heno," esboniodd wrthi. "Ond do's dim munud i'w golli. Ewch i hôl y plant ar unweth."

Synhwyrodd Nona Powell beth oedd ar droed a throdd i godi'r plant heb ofyn cwestiwn.

"Shwt wyt ti'n gwbod? Beth sy'n mynd mla'n ...?"

"Dyw e ddim byd personol i ti boeni amdano fe," meddai Elin. "Dangos di dipyn o barch. Mae dynon miwn tollbyrth er'ill wedi ymddwyn fel gwŷr bonheddig. A chofia hyn, mae Beca'n edrych ar ôl ei phobol. Fe fydd swydd arall i ti ar ôl hyn, wy'n siŵr o hynny."

"Beca! Ond ...? Swydd arall ...?"

"Ymddwyn yn foneddig'edd," pwysleisiodd Elin. "Yna fyddi di a'r teulu ddim yn y wyrcws. Cofia di 'ngeirie i!"

Daeth y fam a'r plant i'r golwg. Gwenodd Rachel wrth ei hadnabod.

"Pwy sy moyn rhedeg yn y nos?" gofynnodd Elin yn gyffrous iddyn nhw.

"Fi! fi! fi!" meddai'r plant.

"Dewch 'te! Croesi'r bont yn gynta ..."

Wrth groesi'n ôl dros y bont, edrychodd i gyfeiriad y pentref. Safai Heddwenna'r gogyddes wrth wal gerrig Glan Sawdde'n rhythu arnyn nhw, ei dwy law fel dwy lwy bren enfawr wrth ei hochr.

Pennod 20

"Mae hynny yn union beth fydde Gwladys wedi'i wneud," meddai Tegwen Rees wrth Elin pan ddaeth i lawr y grisiau ar ôl i'r fam a'r plant setlo yn llofft y porthmyn. Eisteddai Tegwen a Brython Rees wrth y ford fawr ar ganol llawr y gegin fyw. Roedd y ddau'n dal dwylo'i gilydd.

"Be sy wedi digwydd i chi'ch dou?" gofynnodd Elin gan gyfeirio â'i thalcen at y ddwy law ymhleth ar y ford. "A beth yw hyn am Gwladys?"

"Eistedd, Elin," meddai ei thad. "Mae hi'n amser. Mae gan dy fam a finne rywbeth i'w rannu gyda ti."

Eisteddodd mewn tawelwch llethol.

"Fy whâr i, Gwladys ..." meddai Brython. "Hi o'dd dy fam ..."

"Beth ...? Ond chi yw fy ..." Edrychodd ar Tegwen a gweld dagrau yn ei llygaid erbyn hyn.

"Bymtheng mlynedd yn ôl, do'dd Gwladys ddim yn briod. Merch ifanc hardd iawn o'dd hi," meddai Brython. "Gwallt melyn, llyged glas, corff ystwyth, tal – yn union fel ti. Ond digwyddodd rhywbeth dychrynllyd iddi. Ro'dd hi'n forwyn yn y ficerdy ..."

Cododd Elin ei llaw at ei cheg ac aeth ei hwyneb fel y galchen.

"O na!" Dechreuodd anadlu'n gyflym. Rhoddodd ei dwy benelin ar y ford a dal ei phen yn ei dwylo. Cododd ei hwyneb ac edrych i lygaid ei mam, yna i lygaid ei thad.

"Nid ... 'sathru un o forynion y ficerdy drwy drais' ife ...?"

"Ie, bach," meddai Tegwen gan ymestyn dros y ford gyda'i dwy law a gafael yn nwylo Elin. "Fe a'th Gwladys yn feichiog. A fuodd hi farw ..."

Rhoddodd Tegwen ei phen yn ei dwylo gan lefen. Methodd yngan gair arall.

Wedi saib hir, clywodd Elin lais ei thad. Roedd yn grynedig ac o dan deimlad.

"Buodd Gwladys farw wrth roi genedigaeth i ti, Elin. Ro'dd hi wedi dod 'nôl aton ni fan hyn unweth ro'dd hi'n gwbod ei bod hi'n dishgw'l plentyn. Gymron ni bob gofal ohoni. Gest ti dy eni yn llofft y porthmyn."

"Ac fe wnaethoch chi'ch dou fy magu i ...? Ond Gwyndaf ...? O'dd hi'n dishgw'l efeilliaid?"

"Na," meddai Tegwen. "Roeddwn i'n dishgw'l plentyn yr un pryd, ti'n gweld. Wy'n meddwl bod sioc dy enedigaeth di a cholli Gwladys wedi symud pethe mla'n. Gafodd Gwyndaf ei eni'r diwrnod wedyn. Wedon ni wrth yr ardal fod plentyn Gwladys wedi marw yr un pryd â'i fam ..."

"A bod Tegwen wedi rhoi genedigaeth i efeilliaid," meddai Brython.

"Ac fe geson ni'n codi fel brawd a whâr?" gofynnodd Elin.

"Chi'ch dou yn gwmws fel efeilliaid, o ran deall eich gilydd ta beth," meddai Tegwen.

Bu tawelwch mawr yn y gegin eto wrth i Elin geisio ymdopi â'r newydd. Cododd ei phen ac edrych i lygaid y ddau ohonyn nhw yn eu tro.

"Ac ry'ch chi'ch dou yn gwmws fel tad a mam i fi," meddai. "Do's dim byd all newid hynny."

Disgynnodd deigryn arall o lygaid Tegwen ac roedd llygaid Brython yn llenwi hefyd.

"A do's neb arall yn gwybod dim am hyn?" gofynnodd Elin.

"Ro'dd yr ardal i gyd yn gwbod beth wna'th Chandler i Gwladys, ac ro'dd pawb yn gwbod ei bod hi'n feichiog," meddai Brython.

"Dim ond y fydwraig sy'n gwbod y cyfan. Yr un fu yma'n ceisio helpu Gwladys ac yna'n helpu finne," meddai Tegwen.

"Ody hi'n fyw o hyd?"

"Mari Lee," meddai Brython.

Gollyngodd Elin ochenaid ddofn. Daeth cymaint o deimladau drosti ar draws ei gilydd. Deallodd yn sydyn beth oedd y dynfa gref roedd yn ei chlywed rhyngddi'i hun a'r sipsi.

Ond aeth y sgwrs ddim pellach.

Ffrwydrodd drws y dafarn yn agored. Ianto Tal-y-garn oedd yno.

"Elin. Rhaid iti fynd. Neges i Beca. Glou ... O, bois bach ..."

Brwydrai Ianto am ei wynt. Estynnodd Elin gadair iddo. Roedd ei ysgyfaint yn llosgi wedi iddo ruthro yno cyn gynted ag y gallai. Ceisiodd hithau ddyfalu lle'r oedd Merched Beca arni. Cyfarfod yn Rhyd-y-saint. Mynd am Bont-ar-llechau heb ymdroi. Y rhai ar droed i wneud y gwaith ar honno. Hanner y rhai ar geffylau i fynd drwy Gapel Gwynfe at Gât Cwm Llwyd; yr hanner arall at Gât Pont Clydach – y ddwy ohonyn nhw ryw dair milltir bant o Bont-ar-llechau, wrth droed y Mynydd Du. Roedd y Merched yn dair carfan felly ...

"Iori yrrodd neges." Roedd gan Ianto fwy o fanylion wedi iddo gael ei wynt ato. "Dragŵns Lland'ilo wedi newid eu cwrs yn hwyr y dydd. Falle mai twyll o'dd y cynllun gwreiddiol.

Mae Dragŵns Llan'dyfri yn dal i fynd i Bumsaint, ond rhai Lland'ilo yn mynd dros y bont i Langadog ac ymla'n at gatie'r mynydd."

Trap! meddyliodd Elin. Bydd y tair carfan yn cael eu cornelu ym mhen draw'r cwm.

"Faint o'r gloch maen nhw'n gad'el Lland'ilo?" gofynnodd Elin.

"Naw o'r gloch y gadawodd neges Iori Land'ilo. Hanner awr wedi deg ro'dd y Dragŵns yn gad'el."

"Pam fod y Dragŵns wedi newid eu cynllunie?" gofynnodd Elin yn araf a drwgdybus.

"Fe gawson nhw neges, yn ôl Iori," atebodd Ianto. "Rodd e'n ame mai neges o Langadog ..."

Heddwenna'r gogyddes! meddyliodd Elin. Ond yna cymylodd amheuaeth arall ei meddyliau. Beth os mai ei gweithred hi'n cludo plant gât Pont Comin Sawdde oedd wedi bradychu cynlluniau Beca i Heddwenna? Ai hi yn y diwedd oedd wedi arwain holl Ferched yr ardal i drap?

Rhuthrodd Elin am y drws. Roedd ei mam yno o'i blaen.

"Cymer ofal, Elin. Gofal o'r mwyaf!"

"Iawn ..." Trodd yn ôl ac edrych i fyw ei llygad. "Iawn ... Mam, ond mae amser yn brin ..."

Aeth mas i'r clos. Drwy'r caeau ac at Bont Goch, meddyliodd wrth redeg. Roedd Gwyndaf wedi mynd ar gefn y gaseg y noson honno. Roedd y glaswellt yn llaith. Roedd y llwybr yn gyfarwydd iddi ond ni allai weld ei thraed. Ond roedd yn rhaid iddi ruthro. Gwthiodd ei hun yn ei blaen, er bod ei thraed yn llithro'n aml wrth dderbyn ei phwysau.

Yn raddol, daeth ei llygaid i gynefino â'r tywyllwch. Roedd

hanner lleuad, ond roedd hi'n gymylog.

Wrth nesu at Fwthyn Pont Goch, gwelodd gysgod tywyll yn symud o flaen y tŷ. Roedd y stad wedi gosod tenantiaid newydd yno erbyn hyn. Pobl ddierth. O ardal arall. Doedd hi ddim yn eu hadnabod. Roedd hi'n amlwg eu bod yn plesio'r stad. Ceisiodd wneud cyn lleied o sŵn â phosib wrth redeg.

Yn sydyn, gwelodd y cysgod yn dod amdani. Ci oedd e! Ci y bwthyn. Ci dierth. Ci'r tenantiaid newydd. Ceisiodd feddwl. Ceisiodd gofio. Roedd ei thad wedi dweud rhywbeth rhywdro. "Edrych miwn i lyged y ci!" Ie, dyna fe. "Paid â dangos dy fod ofon! A cheisia'i daro fe ar ei drwyn." Daeth y cysgod yn nes ati gan gyflymu. Doedd hithau ddim yn arafu. Gallai glywed ei chwyrnu isel. Roedd e'n gi mawr, trwm. Wrth iddo neidio i'r awyr, cododd ei llaw a'i daro'n galed ar ei drwyn gyda'r glocsen roedd yn ei gwisgo ar ei llaw dde. Roedd ei hamseriad yn berffaith. Roedd y ci ar lawr ac yn udo. Plygodd hithau eto a rhoddodd gernod arall i'w drwyn gyda'r glocsen chwith. Ffrydiodd ei dicter drwyddi i roi bôn braich y tu ôl i'w hergydion. Edrychodd ar y ci'n gorwedd ar ei fola heb deimlo dim trugaredd. Chandler yn dod mas ohoni oedd hyn, meddyliodd – ond gwthiodd y meddwl draw cyn gynted ag y daeth.

Agorodd drws y bwthyn. Roedd rhywun yno yn dal cannwyll ac yn gweiddi i'r tywyllwch. Trodd Elin a rhedodd yn ei blaen. Roedd hi eisoes wedi penderfynu troi i'r chwith a mynd lan y cwm. Fe allai ei bod hi'n gwneud camgymeriad mawr a bod criw cyntaf y Merched oedd ar droed wedi pasio yn barod ac ar eu ffordd i'r pentref – gan fynd yn syth wyneb yn wyneb â'r Dragŵns.

Ond roedd hi'n gorfod cymryd siawns. A fyddai'r ci yn dal yn rhydd pe bai'r Merched wedi pasio eisoes? Rhedai ar garlam yn awr. Roedd pob eiliad yn cyfri. Roedd ar hewl wastad – hewl dyrpeg. Er bod coed tywyll o boptu'r hewl ar lechweddau'r cwm, gallai weld wyneb yr hewl yn weddol glir o'i blaen. Wrth basio Melin-y-cwm, gallai glywed lleisiau. Clywodd gorn. Y Merched! Roedden nhw'n dod tuag ati. Roedden nhw'n ddiogel ar hyn o bryd.

Wrth gyrraedd tro'r Bont Fawr, daeth wyneb yn wyneb â'r fintai gyntaf. Roedd rhyw gant ohonyn nhw mewn hwyliau da.

"'Nôl! 'Nôl!" gwaeddodd Elin.

Safodd yr orymdaith.

"Beth sy? Beth sy?"

"O! Elin yw hi!"

"Wyt ti'n iawn, Elin?"

"Mae'r Dragŵns yn dod lan y ffordd ... Cyn bo hir ... Rhaid i chi droi 'nôl ... Ewch 'nôl at Ryd-y-saint ... wedyn gallwch chi fynd lan yr hewl am Gefen-y-coed a Choed yr Arlwydd."

"Ond shwt bod y Dragŵns ...?"

"Do's dim amser i egluro nawr!" sgrechiodd Elin. "Ewch 'nôl! Ar unweth!"

"Glywsoch chi'r groten," meddai llais ar flaen y dyrfa. "Hast. Trowch 'nôl. Nawr. Rhedwch. Ac yn dawel. Pawb yn dawel."

"Faint o nifer odych chi i gyd yma?" gofynnodd Elin. "Lle mae'r rhai ar geffyle?"

"O, maen nhw wedi mynd ers awr a mwy. Dy'n nhw ddim ymhell ar ein holau ni, siŵr o fod. Ddyle'r ddou griw fod yn cwrdd â'i gilydd ym Mhont-ar-llechau."

"Ewch chi am Goed yr Arlwydd a chwato yno," meddai Elin.

Clywodd Elin sŵn traed yn dechrau rhedeg. Llond y cwm o sŵn clocsiau'n curo'r hewl.

"Cadwch yn dawel!" gwaeddodd. "Fyddwch chi'n ddiogel yno. Af i mla'n i gwrdd â'r ceffyle."

"Na, Elin! Wnaiff un ohonon ni redeg gyda'r neges honno."

"Rhedeg miwn pais!" wfftiodd Elin. "Wy'n nabod yr hewl, wy wedi arfer rhedeg. Fe fydda i yn glouach ..."

Heb wastraffu rhagor o amser yn dadlau, gwibiodd Elin heibio i'r dynion, dros y bont, heibio Rhyd-y-saint ac ar hyd yr hewl union dan Allt-y-fedw.

Pan oedd hi hanner y ffordd ar hyd y gwastad, clywodd sŵn carnau o'i blaen. Diolch byth! Beca. Safodd ar ganol yr hewl gan ddisgwyl i'r ceffylau ei chyrraedd.

"Wo! Woa!" galwodd y marchog ar y blaen. "Arhoswch! Mae rhywun ... Mae croten ...!"

Daeth y fintai i stop. Daeth Beca ei hun ymlaen i weld beth oedd yn bod.

"Elin! Be wyt ti'n ei neud 'ma?"

"Llew ... Ody pawb 'ma – criw y ddwy gât?"

Arllwysodd Elin ei neges. Rhoddodd floedd o foddhad pan glywodd fod criw y ddwy gât bellach yn ôl gyda'i gilydd.

"Rhaid i ni fynd 'nôl i Bont-ar-llechau!" gwaeddodd Llew. "Awn ni ffordd arall. Gwynfe falle ...?"

"Na!" gwaeddodd Elin. "Bydd rhai o'r Dragŵns yn siŵr o fynd drwy Gwynfe. Maen nhw'n mynd hyd at gatie'r mynydd. Ac unweth y gwelan nhw gât Pont-ar-llechau yn yfflon, bydd eu cleddyfe nhw mas ..."

"Lle ti'n awgrymu 'te?"

"Pont-ar-llechau ... i'r chwith, dros yr afon, hewl Ffinnant ... troi am glos Caeau Bychain ... llwybr drwy'r cae a chwato yng nghoed Caeau Bychain. Fyddwch chi'n gallu gweld yr hewl, ond fyddan nhw ddim yn gallu eich gweld chi. Ody Gwyndaf gyda chi?"

"Ody, yn ddiogel yn y cefen gyda'r rhai dda'th 'nôl o Gwm Llwyd. Reit!" gwaeddodd Llew. "Trowch 'nôl, bois! Dere di lan gyda fi ar y merlyn, Elin."

"Na. Fydd dou ohonon ni'n arafu'r merlyn. Mae e wedi rhedeg digon yn barod. Af i dros yr afon fan hyn. Mae llwybr drwy goed Allt Caeau Bychain yn ôl i Ryd-y-saint. Af i weud wrth y lleill sydd yng Nghoed yr Arlwydd am aros yno nes ca'l gair wrthoch chi."

Gwyliodd Elin y ceffylau a'r merlod yn carlamu'n ôl lan y cwm. Roedd hi wedi gwneud ei gwaith. Safodd ar ganol yr hewl yn mwynhau'r foment. Yna clywodd sŵn fel taran bell y tu ôl iddi. Carnau ...! Y Dragŵns – roedden nhw ar eu ffordd! Doedd Beca ddim wedi cael digon o amser i droi o'r bont a diflannu ar hyd hewl Ffinnant.

Daliodd ei thir ar ganol yr hewl. Gallai weld marchogion blaen y Dragŵns ym mhen draw'r gwastad. Dal dy dir, mentrodd ddweud wrthi ei hun. Clywodd lais swyddog yn cyfarth yn y pellter – roedden nhw wedi'i gweld! Clywodd sŵn metel yn crafu ar fetel – roedden nhw'n dadweinio'r cleddyfau hirion!

Trodd Elin a rhedeg i'r dde a neidio i ben y wal. Llamodd i'r ochr arall. Roedd yr afon o fewn troedfeddi iddi. Gwthiodd ei hun i mewn i'r llif. Nid rhyd oedd hon, dim ond afon yn llawn pyllau a cherrig garw. Gwthiodd ei hun ymhellach. Roedd at ei chanol yn y dŵr ac roedd hwnnw'n ddŵr oer o'r mynydd, er ei bod hi'n fis Awst. Gwthiodd ei choesau eto. Teimlodd wyneb garw'r cerrig ar wely'r afon â'i thraed.

Yna, doedd hi'n teimlo dim byd. Cafodd gam gwag i bwll dwfn. Gwthiodd ei chorff ymlaen. Clywodd y llif yn ei chario. Teimlodd wely'r afon eto. Sythodd ei chorff. Gallai glywed y Dragŵns yn arafu. Roedden nhw wedi cyrraedd y fan lle'r oedd hi wedi neidio dros y wal. Roedd yn rhaid iddi gyrraedd y lan. Gallai weld carreg fawr ar y lan. Roedd yn rhaid iddi gael cysgod rhyngddi a'r hewl ...

Clywodd y llais yn cyfarth gorchmynion. Clywodd glicedi ... roedden nhw'n paratoi'r gynnau. Yna clywodd y lli'n gostwng i lawr ei choesau. Roedd hi wedi croesi'r afon! Llamodd ymlaen a theimlo tir sych o dan ei thraed. Neidiodd o garreg i garreg a thaflodd ei hun tu ôl i'r maen mawr oedd yn sefyll dan gysgod y coed ar y lan.

"Fire!" Gorchymyn Capten y Dragŵns!

Poerodd ugain o ynnau eu tân a'u mwg a chlywodd Elin y pelenni plwm yn chwibanu dros yr afon a tharo boncyffion coed a cherrig y glannau. Swatiodd yng nghysgod y maen. Tawelwch. Dim ond sŵn yr afon.

Gwaeddodd y Capten rhywbeth. "... only a girl ..." Ond ddeallodd Elin mo'r geiriau.

Gwyddai ei bod wedi oedi'r Dragŵns yn ddigon hir i Ferched Beca ddianc, serch hynny. Bydden nhw wedi clywed yr ergydion ac wedi cael digon o amser i ddal gŵr y tolldy a mynd ag ef gyda nhw i guddio ar hewl Ffinnant.

Arhosodd y tu ôl i'r maen, ei dillad yn wlyb domen, am

funudau maith. Clywodd y Dragŵns yn ailddechrau symud, yna'n carlamu ar yr hewl, yna sŵn y cyrn yn canu a'r carnau'n arafu ac yn aros.

"Maen nhw wrth Bont-ar-llechau," meddyliodd. Gobeithiodd – gweddïodd – y bydden nhw'n mynd yn eu blaenau ac nid yn dechrau chwalu a chwilio ar hyd pob ffordd wrth y groesffordd honno. Gobeithiai y byddai eu hawydd i rwydo Beca ym mlaen y cwm yn cario'r dydd.

Falle'u bod nhw'n holi yn y tafarnau ac yn yr efail a gweithdy'r cowper ym Mhont-ar-llechau. Roedd un aelod o bob tŷ gyda Beca felly bydden nhw'n siŵr o yrru'r Dragŵns yn eu blaenau.

Ymhen hir a hwyr, clywodd y carnau'n carlamu eto. Gwrandawodd ar y sŵn yn diflannu'n araf i fyny'r cwm.

* * *

Erbyn hyn roedd Elin yng Nghoed yr Arlwydd. Roedd wedi cerdded drwy'r allt goed i Ryd-y-saint heb drafferth, a mater bach oedd croesi'n ôl dros yr afon a dilyn yr hewl at y comin. Yno, roedd y Merched yn cuddio yn y coed.

Roedd holi mawr am sŵn y saethu ond roedd rhyddhad mawr pan glywodd y Merched nad oedd neb wedi'i daro. Arhosodd y criw'n amyneddgar. Yn y diwedd, clywodd pawb y Dragŵns yn pasio heibio am yr eilwaith.

"Byddan nhw'n siŵr o fynd i ga'l pip ar gomin Carreg Sawdde," meddai un o'r Merched yn ei hymyl.

"Pan welan nhw fod pob gât yn Llangadog yn ddiogel, fyddan nhw'n meddwl bod popeth drosodd."

Roedd awr wedi mynd heibio ers hynny, meddyliodd Elin.

Clywodd sŵn. Carnau! Sylweddolodd yn fuan mai ceffylau Merched Beca oedd y rhain. Aeth i'w cyfarfod.

Llew oedd ar y blaen.

"Ody Elin gyda chi? Glywson ni sŵn y reiffls ... Ody hi'n iawn? O's rhywun yn gwbod rhywbeth?"

Clywodd Elin y pryder yn llais y gof. Mae'n siŵr eu bod i gyd wedi poeni wrth glywed yr ergydion ... Yna, gwelodd ei brawd ar gefn y gaseg ...

"Gwyndaf!" Camodd i'r hewl i ganol ceffylau'r Beca.

"Elin!" Clywodd y rhyddhad yn llais y bachgen. Neidiodd Gwyndaf oddi ar gefn caseg y dafarn a chofleidio ei efaill.

Pennod 21

"Na," meddai Llew yn bendant. "Ti'n mynd â dy whâr gatre. Mae hi'n wlyb at ei chro'n. Mae hi wedi achub Beca heno."

Roedd y Merched wedi cael trafodaeth fer ac roedd pawb yn gytûn mai dyma'r amser mwyaf diogel i glirio holl gatie Llangadog. Doedd dim dwywaith fod y Dragŵns wedi torri'u calonnau ac wedi dychwelyd i Landeilo. Doedd dim angen gwneud dim ond holi mewn ambell dŷ ar y comin ac yn y pentref.

"Wedyn fydd y gatie yn eiddo i ni!" meddai Llew. "Mae fy enw i miwn llyfr mawr wrth y gât am Ryd-y-Saeson. Alla i ddim aros i ga'l hwnnw yn fy nwylo! Bydd yn cynnau tân yn yr efel yn y bore!"

Ond chafodd Gwyndaf ddim caniatâd i fynd ymlaen gyda'r gweddill.

"Dy waith di yw edrych ar ôl y groten 'ma," meddai Llew wrtho'n bendant. "Elin sy wedi rhedeg yn gynt na'r cleddyfe a'n harbed ni rhag cael ein dala fel ffowls ar y nyth."

Ond hi oedd ar fai fod y Dragŵns wedi newid eu cynlluniau, gofynnodd Elin i Llew, gan adrodd yr holl hanes wrtho.

"Na," atebodd Llew yn bendant. "Heddwenna sy wedi'n bradychu ni. Gaiff hi glywed am hyn 'to. Ti, Elin, sy wedi'n hachub ni. Nawr, ewch chi'ch dou i lawr drwy'r coed at y Bont Goch. Dishgw'l ar ei hôl hi, Gwyndaf. Nos da."

Gwyliodd y ddau y fintai yn mynd am Gomin Carreg Sawdde. Roedd y llawenydd heintus wedi ailafael yn ysbryd y criw erbyn hyn. Ond doedd neb yn gweiddi a doedd dim saethu drylliau na seinio cyrn – rhag ofn.

Dringodd Elin ar gefn y gaseg ac eistedd o flaen Gwyndaf. Dyna braf oedd teimlo'i freichiau amdani wrth iddo afael yn y ffrwyn, meddyliodd. Wrth iddyn nhw basio'r llwybr i'r llannerch, gwelodd y ddau gysgod wrth goeden. Roedd rhywun yn sefyll yno ... gwraig ...

"Mari Lee!" galwodd Elin. "Ti oedd yn iawn! Rhedeg drwy'r tywyllwch ... rhedeg drwy afon ... Fe ddaeth dy freuddwyd di'n wir."

"Ges i freuddwyd arall wrth gwmpo i gysgu heno, Elin," meddai Mari Lee. "Weles i dy fam a dy dad yn llefen ..."

"Dda'th honno yn wir 'fyd, Mari Lee," meddai Elin. "Gwyndaf, dere lawr am funed ..."

Gwthiodd Elin freichiau ei brawd o'r neilltu. Llithrodd i lawr ochr y gaseg a rhedodd at Mari Lee a gafael amdani. Pan ddaeth Gwyndaf at y ddwy, rhoddodd Elin fraich am ei wddw yntau a'i dynnu i mewn nes bod y tri ohonyn nhw'n un.

"Gwyndaf, wyddest ti mai Mari Lee dda'th â ti a fi i'r byd 'ma?"

* * *

Y bore canlynol, aeth Elin gyda Nona Powell a'r plant yn ôl i lawr at Bont Carreg Sawdde. Gwyddai y byddai unrhyw ddifrod yn siŵr o effeithio ar y plant. Ceisiodd eu paratoi wrth gerdded ar hyd y llwybr drwy'r caeau.

"O shgwlwch ar y defed yn y cae fan hyn!" meddai Elin wrth gyrraedd hewl Cae-rhyn. "A sghwlwch ar y iet bren yma. Mae'r iet yn cadw'r defed yn ddiogel yn y cae, on'd yw hi, Rachel? Wyt ti'n gallu gweld hynny?"

Aeth y criw ymlaen at y cae nesaf. Gwartheg oedd yn hwnnw.

"Ac mae'r iet yn cadw'r da yn ddiogel fan hyn."

Yna wrth gerdded i lawr y llwybr, ceisiodd Elin arwain y sgwrs at yr olygfa a fyddai o'u blaenau.

"Ond dyw pobol ddim yr un fath ag anifeilied, yn nag y'n nhw, Mei?" Ysgydwodd hithau ei phen. "Shwt mae dyn yn wahanol i anife'l, Dafy'?"

Meddyliodd yntau'n ddwys cyn dweud,

"Smo ni'n byta gwair!"

"Da iawn, Dafy'! Beth amdanat ti, Mei. Beth yw'r gwahanieth rhwng pobol ac anifeilied?"

"Mae 'da ni ddwy go's ac mae 'da nhw bedair co's!"

"Da iawn, Mei. Rachel?"

"Smo ni'n ca'l y'n cadw miwn caeau ..."

"Ateb da eto! Ry'n ni'n rhydd, yn ca'l mynd a dod fel ni moyn. A dyw gatie sy'n ein trin ni fel anifeilied ddim yn ca'l llonydd."

Erbyn hyn, roedden nhw wedi cyrraedd hewl Dyffryn Sawdde. Gallai'r criw weld tyrpeg Glan Sawdde o'u blaenau. Roedd y gât yn chwilfriw, to'r tolldy wedi'i dynnu i lawr unwaith eto a darnau o'r waliau wedi'u chwalu. Gwelodd Elin gryndod yn mynd drwy gorff Nona a chlywodd hi'n tynnu anadl bryderus. Ond roedd yn rhaid iddi baratoi'r plant, meddyliodd Elin.

"A shgwlwch ar dyrpeg Glan Sawdde," meddai wrthyn nhw. "Mae pobol wedi blino ca'l eu trin fel anifeilied, welwch chi. Mae'r gât i lawr ers neithiwr ac mae pobol yr ardal yn rhydd!"

Er hynny, doedd hi ddim yn gyfforddus wrth iddyn nhw droi ar y comin i wynebu Pont Carreg Sawdde a'r tyrpeg oedd, wedi'r cyfan, yn gartref i'r plant. Teimlodd ryddhad wrth nesu – doedd neb wedi cyffwrdd â tho'r tŷ. Roedd y waliau'n sefyll. Ond roedd y gât, wrth gwrs, yn deilchion. Y tu fas, roedd Seimon Powell yn clirio ychydig ar y gweddillion. Roedd e'n ymddangos yn gwbwl ddianaf.

"A dyma chi'n ôl!" gwaeddodd y tad yn llawen wrth weld ei blant yn nesu. Pan gafodd gyfle, sibrydodd air o ddiolch i Elin.

"Allen i ddim peid'o," atebodd hithau. "Do'dd hon ddim yn olygfa i blant bach ei hwynebu."

"Fe gymres i dy gyngor di, Elin. Diolch am hwnnw 'fyd."

"Ac ro'dd Beca yn hoffi'r cwrteisi?"

"O'dd! Ges i fynd o'r golwg i'r tŷ heb neb yn cyffwrdd blaen bys ynof i."

"Mae'n bwysig i bawb gofio eu bod nhw'n gorfod wynebu eu cymdogion yn y diwedd."

"O, ac fe ges i neges annisgwyl y bore 'ma," ychwanegodd Seimon Powell. "Dda'th gwas y ficer draw. Mae e'n gofyn am 'y ngweld i am ddou y pnawn 'ma ..."

* * *

Bu Awst yn fis llawn cyffro. Ailgodwyd gât ym Mhompren Araeth a thynnwyd hi i lawr o fewn dim wedyn. Llosgwyd teisi ŷd stad Plas Newydd Dinefwr. Roedd mwy a mwy o batrôls gan y Dragŵns ar hyd Dyffryn Tywi ac roedden nhw'n cadw llygad llym ar Langadog a Dyffryn Sawdde hefyd. Symudodd y terfysg mwyaf i ardaloedd eraill. Roedd Beca a'i Merched yn dal i reoli'r ffyrdd a'r caeau.

Roedd Elin yn dal i redeg gyda negeseuon Beca. Ond roedd rhai o'r rhedwyr eraill wedi sylwi ei bod yn dawelach, yn llai hwyliog ers y noson brysur honno yn Nyffryn Sawdde. Gynnau'r Dragŵns sydd wedi'i sobri, meddylient. Ond trais o fath gwahanol, hŷn na hynny, oedd yn llenwi ei meddyliau yn aml y dyddiau hynny.

Ar nos Fercher y pymthegfed o Fedi, a phethau wedi tawelu yn yr ardal ers tro, cafwyd noson fawr arall yn Llangadog. Chwalwyd dwy gât ar Gomin Carreg Sawdde, un arall ym Mhont-ar-llechau ac un arall yn Waun-Ystrad-Feurig. Fel y câi gatiau newydd eu rhoi yn eu lle, roedden nhw'n cael eu chwalu unwaith eto.

Ddeuddydd yn ddiweddarach, roedd cryn brysurdeb ar gomin Coed yr Arlwydd. Daeth Elin a Gwyndaf i'r gwersyll yn gynnar i helpu'r teulu. Hwn oedd diwrnod y symud. Roedd y gwersyll haf yn cael ei dynnu i lawr, y cart yn cael ei lwytho a'r teulu'n symud tua'r dwyrain i'r cynaeafau yn Swydd Henffordd.

"Dyna haf arall wedi mynd heibio," meddai Jorjo, wedi taflu'r basgedi olaf i mewn ar ben y llwyth. "Ond mae gwiail y cyll wedi tyfu'n dda'r tymor hwn. Welwch chi nhw? Mae cnwd braf 'ma. Y dail yn dechre melynu erbyn hyn – ond fe fyddwn ni'n ôl yr haf nesa i dorri'r brigau a gwneud basgedi ar gyfer ffair Lland'ilo eto!"

"Cylch yw pob taith," meddai Mari Lee.

Eisteddai Gwyndaf ac Anna yn dawel wrth ochrau'i gilydd ar foncyff. Daeth Elin â Dicw'r merlyn at y cart a rhoi'r ffrwyn i Jorjo.

"Bydd hiraeth ar ôl Dicw yn y dyffryn 'ma, Jorjo!" meddai hi. "Mae e'n dipyn o arwr, a channoedd ohonon ni'n meddwl y byd o'r merlyn gwyn a'r wraig ar ei gefen e!"

"Ie, wy'n meddwl 'mod i wedi ca'l eitha bargen yn y diwedd gan y Cardi hwnnw yn ffair geffyle Llanybydder!"

"Ceffyl da yw ewyllys y bobol sy'n uno gyda'i gilydd," meddai Mari Lee.

"A diolch am y gwersi rhedeg, Mari Lee. Wy'n groten wahanol i'r un o'n i dri mis yn ôl."

"Ond yr un Elin wyt ti â phan gest ti dy eni," meddai Mari Lee a chodi gan gerdded ati a dolennu ei braich ym mraich yr eneth.

Clywodd y ddwy sŵn ar y llwybr.

Synnodd Elin wrth weld Brython a Tegwen yn cerdded tuag atyn nhw. Roedd Brython yn cario un o fasgedi mwyaf teulu'r sipsiwn ar ei fraich.

"Allwn ni ddim diolch am y fasged hon yn anrheg ganddoch chi heb ddod â'i llond hi i'w rhoi i chi ar gyfer y daith," meddai Brython.

Estynnodd Tegwen y nwyddau i Mari Lee eu rhoi yn y cart.

"Bara gwenith, cig y bustach du a chawl asgwrn mêr," meddai.

"Gwenith fel gwallt Elin a bustach du fel gwallt Gwyndaf," meddai Mari Lee. "A'r cyfan yn rhan o gyfoeth Tafarn y Wawr."

* * *

Ymhen y mis, roedd cyfarfod mawr cymdeithasol ar y cae o dan Goed yr Arlwydd. Roedd hwn yn un o gyfres o gynulliadau torfol i restru cwynion a galw am ddiwygio. Roedd deuddeg cant o bobl yn llenwi'r maes a gâi ei amgylchynu gan y coed.

Rhybuddiwyd y dorf gan y cadeirydd ar ddechrau'r cyfarfod.

"Mae cyfarfodydd cwynion y bobol wedi ca'l eu condemio fel rhai anghyfreithlon gan yr awdurdode. Dy'n nhw ddim moyn clywed, dy'n nhw ddim moyn gwrando. Mae'r gynne a'r cleddyfe ganddyn nhw yn y sir hon a sawl sir arall yng Nghymru i'n hatal ni rhag lleisio ein barn. Nawr, mae tair mynedfa i'r maes hwn – dwy drwy'r coed yn y cefen ac un ar y bompren dros afon Sawdde o'r hewl fawr. Os y do'n nhw – y Dragŵns – ac os bydd yn rhaid dianc rhag eu cleddyfe nhw, p'idwch â mynd am yr afon. Mae'r bont yn rhy gul. Ewch am y coed. Mae llannerch yn y coed, mae cysgod dan y canghennau. Mae'r comin yn ddarn bach o Gymru rydd sydd wedi'i gadw i ni yma yn Nyffryn Sawdde ar hyd y canrifo'dd. Cyn hir, a brysied y dydd, bydd hewlydd y dyffryn, y sir a Chymru gyfan yn rhydd hefyd."

Wrth droi i edrych o'i chwmpas yn ystod y gymeradwyaeth, gwelodd Elin fod Dylan Lloyd a Thomas Foster yno. Roedd y newyddiadurwr o Gaerfyrddin yn siarad yng nghlust y gŵr o Lundain ac roedd hwnnw'n ysgrifennu'n wyllt yn ei lyfr bychan. Trodd ymhellach a gweld Seimon a Nona Powell a'r plant yn cymeradwyo. Roedd e'n swyddog i'r plwy, yn byw yn hen dŷ Chandler erbyn hyn – ac roedd pobol yr ardal yn dechrau dweud bod tegwch i'w gael gan yr eglwys leol o'r diwedd.

Edrychodd dros ei hysgwydd arall. Draw yng nghanol criw o ddynion cryfion – rhai digon da am drin bwyell a gordd, tybiodd Elin – roedd Llew Lewis a Dan Dowlais. Winciodd Llew arni.

Gyda Llew, roedd Jac y Plow, Leisa ei wraig, Ann, merch y Plow, a llanc ifanc arall. Iori oedd hwnnw, tybiodd Elin – llanc y stabal a'r cyfrinachau. Daliodd Jac ei lygaid a chodi'i law at ei geg fel petai'n dal tancard o gwrw ac yna pwyntio i gyfeiriad Tafarn y Wawr ar y bryniau. Nodiodd Elin yn llawen – byddai'n braf cario cwrw iddo yn eu tafarn eu hunain yn nes ymlaen.

Dair rhes y tu ôl iddi, gwelodd Ianto Tal-y-garn a Siân Carregfoelgam yn sefyll gyda'i gilydd. Pethau'n rhedeg yn esmwyth iawn yn fan'na, meddyliodd Elin! Wrth ei gweld, cododd Ianto goler ei got i guddio'i wyneb a nodio'i ben a gwenu'n wirion arni.

Ac yna, yn y cefn yn pwyso yn erbyn boncyff derwen, gwelodd hi'r gŵr â'r crafat du. Daliodd yntau ei lygaid hithau. Ymgrymodd ei ben tuag ati a chodi ei law a rhoi gwên fechan. Y tro nesaf yr edrychodd i'r cyfeiriad hwnnw, nid oedd neb yn pwyso ar foncyff y dderwen.

Nodiadau gan yr awdur

- **Merched Beca**

Roedd terfysg Merched Beca, 1839–43, yn fwy nag ymosodiadau ar dollbyrth ar y ffyrdd tyrpeg, er bod dros 240 o gatiau wedi'u chwalu yng ngorllewin Cymru yn y blynyddoedd hynny gan gannoedd o derfysgwyr yn gwisgo dillad merched. Dim ond un o achosion y tlodi difrifol ymhlith pobl gyffredin y cyfnod oedd y tollau yr oedd rhaid eu talu am deithio ar y ffyrdd. Hefyd, roedd pris bwyd wedi codi; cafwyd cyfres o hafau gwlyb a arweiniodd at gynaeafau gwael; roedd y rhenti'n uchel; codwyd trethi uchel gan yr eglwys, ac roedd cyflogau'n isel.

- **Y Wyrcws**

Drwy wledydd Prydain, roedd teimlad cryf bod dau ddosbarth o bobl – pobl gyfoethog, bwerus, oedd yn berchen tiroedd, stadau a gweithfeydd; a phobl gyffredin, tlawd, a gâi hi'n anodd iawn byw a magu'u teuluoedd. Ystyriwyd tlodi'n drosedd. Pasiwyd deddf newydd oedd yn gorfodi tlodion a fethai dalu eu rhent a'u dyledion i adael eu cartrefi a symud i fyw i'r wyrcws, neu'r tloty.

Carchar gwaith i dlodion oedd y wyrcws. Wrth gael eu 'hel i'r wyrcws', câi gŵr a gwraig eu gwahanu – âi un i adran y merched a'r llall i adran y dynion. Rhoddwyd plant y tlodion mewn adran arall. Câi teuluoedd eu gwahanu am byth, heb obaith ennill digon o arian i'w rhyddhau i fyw gyda'i gilydd wedi hynny. Byddai stiward y stad wedi gosod eu hen gartref ar rent i deulu arall. Yn y wyrcws, roedd y gwaith yn galed a diflas: torri clapiau o gerrig mawr yn gerrig mân i'w rhoi ar y ffyrdd; cerdded ar olwyn i greu pŵer i droi peiriannau; golchi a thrwsio diddiwedd, a thorri coed tân. Roedd bwyd y wyrcws yn waeth na bwyd y carchar.

- **Cosbau eraill**

Roedd y cosbau am dorri'r gyfraith yn hallt a'r carchardai yn lleoedd budr fyddai'n llwgu'r carcharorion. Am droseddau bychain yn aml, câi dynion a merched eu 'caethgludo' – eu hanfon i daleithiau Prydain i weithio fel caethweision ar ffermydd ac mewn gweithfeydd mwyn ar diroedd Prydain, yn America yn wreiddiol ac yna i Awstralia, De Affrica, Canada ac Ynysoedd India'r Gorllewin. Er bod y llysoedd yn pennu hyd arbennig i'r caethwasanaeth, ychydig iawn fyddai'n dychwelyd i Gymru. Am droseddau mwy difrifol, byddai rhaff y crogwr yn cael ei defnyddio'n gyffredin.

- **Merched Beca yn erbyn y wyrcws**

Ar ddydd Llun, 19 Mehefin 1843, casglodd torfeydd mawr ar gyrion Caerfyrddin gan orymdeithio y tu ôl i faner 'CYFIAWNDER A CHARWYR CYFIAWNDER YDYM NI OLL'. Ar faneri eraill roedd 'RHYDDID A GWELL LLUNIAETH' a 'TOLL RYDD A RHYDDID'. Ymosododd y dyrfa o 10,000 ar Wyrcws Caerfyrddin gan falu ffenestri a thaflu dodrefn i'r iard. Byddai'r lle wedi'i roi ar dân, ond amddiffynnodd y *4th Light Dragoons* y wyrcws, dan arweiniad yr Uwchgapten William Parlby, gan chwipio'r terfysgwr â'u cleddyfau hirion. Chwifiai un o ynadon llys y dref ei het yn yr awyr ac annog y milwyr, 'Slash away! Slash away!'

• Milwyr yn erbyn pobl gyffredin

Pan fyddai gwerin yn cael eu cythruddo i greu terfysg, câi'r fyddin ei hanfon yno i 'adfer trefn'. Rhwng 1739–1839, lladdwyd dros 500 o brotestwyr gan fyddin Prydain mewn gwahanol derfysgoedd. Yng Nghymru, gwelwyd hyn ar ei waethaf ym Merthyr Tudful yn 1831 ac yng Nghasnewydd yn 1839. Y 'gelyn' yn aml, yn ôl awdurdodau'r llysoedd, y senedd a'r fyddin ym Mhrydain, oedd y bobl gyffredin.

• Dwyn y Tir Comin

Achos arall dros greu terfysg mewn sawl rhan o Gymru oedd 'cau'r tiroedd comin'. Tir oedd yn eiddo cyffredin i'r bobl gyffredin oedd y 'comin': coedwig, efallai, gyda phobl y plwy'n cael yr hawl i gasglu coed tân yno a throi eu moch i fwyta'r mes dan y derw yn yr hydref; tir mynyddig, hefyd, lle câi'r gwartheg – neu'r 'da' yng ngeirfa ardal Beca – fynd i bori yn yr haf. Roedd ambell gomin yn agos at bentref – fel Comin Carreg Sawdde yn ymyl Llangadog. Byddai anifeiliaid yn pori ar y comin a hefyd câi cyfarfodydd cymdeithasol eu cynnal yno. Roedd gan y sipsiwn hefyd ryddid i wersylla yno. Byddai gan bâr ifanc, newydd briodi, gyfle i adeiladu tŷ unnos yno – os gallen nhw a'u cyfeillion adeiladu'r tŷ mewn noson a bod mwg yn codi drwy'r simnai erbyn iddi wawrio.

O tua 1760, prysurodd yr arferiad o 'gau'r comin' – sef ei ddwyn oddi ar y bobl gyffredin drwy dalu arian i greu deddf yn y llywodraeth yn Llundain. Dim ond y meistri tir yn eu plasau oedd ag arian i wneud hynny. Rhwng 1795 a 1895, cymerwyd dros filiwn o aceri o dir comin oddi ar bobl gyffredin Cymru. Collodd rhai eu cartrefi. Aeth rhai tyddynnod yn rhy fychan i gynnal teulu. Ni chafodd y rhai oedd ar eu colled arian i'w digolledu. Collodd pobl Cymru eu gafael ar un rhan o dair o holl diroedd y wlad.

- **Y sipsiwn yng Nghymru**

Mae'r bobl sy'n cael eu galw'n 'sipsiwn' yn gyfarwydd yma yng Nghymru ers yr Oesoedd Canol. Erbyn tua 1350, roedd rhwydwaith o ffeiriau ym mhrif drefi Cymru a byddai'r rheiny'n denu crefftwyr, perfformwyr a theuluoedd crwydrol. Yn eu mysg roedd pobl o bryd tywyll oedd yn aml yn hoff o gerddoriaeth, a'r ddawn ganddyn nhw o drin ceffylau. Hoffai'r rhain wisgo modrwyau llachar ar fysedd ac mewn clustiau, a gwisgo dillad lliwgar. Daethom i'w hadnabod fel 'sipsiwn', sy'n tarddu o'r camddealltwriaeth Saesneg mai *Egyptians* oedden nhw'n wreiddiol. Mae eu gwreiddiau yn llawer hŷn na hynny – mae eu hiaith yn dangos mai o'r India y daethant. Eu henw arnyn nhw eu hunain yn yr iaith honno yw 'Roma', sef 'pobl'. Maent yn agos iawn at natur, yn gwybod llawer o gyfrinachau'r coed a'r llysiau, wedi byw mewn pebyll yn wreiddiol ac yna mewn carafannau, ac wedi dioddef llawer o ragfarn ac erledigaeth am eu bod yn bobl wahanol.

Yng Nghymru, dysgodd amryw o deuluoedd y sipsiwn siarad

Cymraeg, gan gynnwys elfennau o'r iaith yn eu Romani eu hunain, nes creu iaith newydd Romani-Gymraeg. Wrth siarad Cymraeg, roeddent yn hoff o greu eu hymadroddion eu hunain er mwyn dynodi amser, lle a phobl. Nid mis Mai ddyweden nhw ond 'mis y ddraenen wen'; nid Llangollen, ond 'tref y cnau'; nid Abertawe ond 'dinas yr aderyn gwyn', a galwent y plismyn yn 'traed mawr'. Felly doedd y frawddeg 'Daeth y traed mawr ar ein holau ni yn nhref y cnau ym mis y ddraenen wen, ac fe symudon ni i lawr i ddinas yr aderyn gwyn' ddim yn golygu dim oll i bobl gyffredin Cymru – ond roedd cael iaith 'gyfrinachol' yn ffordd i'r Sipsiwn amddiffyn eu hunain.

- **Cymeriadau dychmygol**

Dychmygol yw'r rhan fwyaf o gymeriadau'r nofel hon, ond mae yma gyfeiriad at Twm Carnabwth o Fynachlog-ddu, wrth droed Mynydd Preseli. Twm oedd y Beca gwreiddiol yn yr ymosodiadau ar gatiau tyrpeg y gorllewin yn 1839. Mae'r disgrifiad o'r 'gŵr â'r crafat du' yn ein hatgoffa o Hugh Williams, cyfreithiwr oedd yn byw yn Sanclêr oedd yn gefnogwr brwd i'r ymgyrchoedd am gyfiawnder i'r werin, a'r un, mae rhai yn tybio, oedd yn cynllunio yn y dirgel rai agweddau ar derfysg Merched Beca. Ffaith arall y mae cyfeiriad ati yn y nofel yw bod y *Times* wedi anfon Thomas Foster i orllewin Cymru i ohebu ar y terfysg, a bod ei adroddiadau yn cyflwyno llawer o gŵynion y werin yn erbyn y sefydliad.

Mae'r rhan fwyaf o'r enwau lleoedd yn cyfeirio at enwau go iawn y gellir eu canfod ar fapiau. Dychmygol yw'r rhan maen nhw'n ei chwarae yn y stori hon, ond os cyfeirir at ddyddiadau pendant yn y nofel, yna mae'r digwyddiadau hynny yn rhan o hanes Beca yn Nyffryn Tywi.

Yn ogystal, mae'r nofel hon wedi bod yn ffordd i mi ddysgu am rai o fy hen deulu, a chyfarfod â hwy – roedd Jac Griffiths, tafarnwr a bragwr Tafarn y Plow, yn hen, hen, hen dad-cu i fi; Leisa ei wraig yn hen, hen, hen fam-gu; Ann y ferch yn hen, hen fam-gu, a'i darpar gariad hithau, William Williams, Ffos-yr-efel, Pontarddulais, yn hen, hen dad-cu. Drwy fy mam y cefais yr hanes teuluol eu bod yn 'deulu'r Beca', a thrwy Archifdy Caerfyrddin cefais lawer o'u hanes. Ond wnes i erioed eu cyfarfod, wrth gwrs! Dychmygol yw'r cymeriadau rydw i wedi'u gwisgo am y ffeithiau moel.

• Rhedeg

Drwy Dylan Huws a Llion Iwan agorwyd fy llygaid i gymeriad y rhai sy'n rhedeg pellteroedd maith ar draws gwlad. Mae hon yn gamp boblogaidd yng Nghymru heddiw, a chefais fy nghyfeirio at gyfrol ddiddorol iawn gan Llion, sef *Born to Run* gan Christopher McDougall (Profile Books, 2009), sy'n datgelu bod rhedeg o'r fath yn ail natur i bobl. Bu'n rhan o'n dull o hela yn yr oesau cynnar; a bod merched a hen ddynion yn well a chryfach ac yn fwy abl i ddal ati na dynion ifanc wrth redeg dros bellteroedd o 50 milltir a 100 milltir. Ffaith ddiddorol arall yw bod cam dyn (neu ferch) yn hwy na cham ceffyl wrth redeg.

- **Pethau'n gwella wedi terfysg Merched Beca**

Gwelwyd llawer o newid yn y Gymru wledig yn fuan ar ôl terfysg Merched Beca. Daeth teithio'n rhwyddach, erbyn 1852 roedd y rheilffordd wedi cyrraedd Caerfyrddin a diwygiwyd y tollbyrth. Ychydig ddyddiau wedi iddo gyrraedd Caerfyrddin, ysgrifennodd Cyrnol Love adroddiadau i'r llywodraeth yn Llundain yn cydnabod bod cwynion teg gan werin gorllewin Cymru. Roedd gormod o dollbyrth ac roedd y tollau'n rhy uchel, cyfaddefodd. O fewn pythefnos, anfonodd y Gweinidog Cartref ddau ymchwilydd i Gymru i edrych ar wraidd y drwg. Yn Hydref 1843, lai na thri mis yn ddiweddarach, sefydlwyd Comisiwn Brenhinol i ymchwilio'n drylwyr a chasglu tystiolaeth gan dystion ym mhob tref yn ne a chanolbarth Cymru. Canlyniad hynny oedd pasio Deddf Tollbyrth a oedd yn llawer tecach a gwell yng ngwanwyn 1844, ynghyd â Deddf y Tlodion yn 1846. Digwyddodd hyn i gyd oherwydd y safiad unedig a'r gweithredu digyfaddawd a welwyd gan Beca a'i dilynwyr.

- **Y gwir yn y papur newydd**

Efallai mai un o arwyr tawel y frwydr hon oedd Thomas Campbell Foster, gohebydd y *Times*. Am ran dda o flwyddyn, anfonodd adroddiadau i bapur mwyaf dylanwadol Llundain yn seiliedig ar yr wybodaeth a gasglodd, gan ddarlunio cyflwr truenus teuluoedd cefn gwlad a gormes meistri tir, ynadon a'r dosbarth rheoli. Roedd hwn yn fath arloesol o newyddiaduraeth, yn ymchwilgar, fel ci ag asgwrn, a dewr wrth dderbyn tystiolaeth pobl gyffredin yn hytrach na'r sefydliad.

- **Ysbryd Beca**

Roedd sawl Beca lleol, efallai, ac roedd cysylltiad rhwng y celloedd yn y gwahanol ardaloedd. Er bod ambell berson dylanwadol yn cefnogi'r terfysg mewn ffyrdd ymarferol, gwir arwyr terfysg Merched Beca oedd gwerin wledig gorllewin Cymru – pobl, ac ie, plant, a feiddiodd gredu y dylen nhw fyw mewn gwlad well ac a fentrodd bopeth er mwyn cael agor ffordd at gymdeithas decach a mwy cyfartal.

Rydym yn dal i sôn am 'ysbryd Rebeca' yng Nghymru. Dyma'r ysbryd sydd mewn pobl sy'n fodlon sefyll a chodi yn erbyn deddfau anghyfiawn a llywodraethwyr gormesol.

Llyfryddiaeth fer

Molloy, Pat; *And they blessed Rebecca*, Gomer, Llandysul, 1983

Thomas, David; *Cau'r Tiroedd Comin*, Gwasg y Brython, Lerpwl, 1952

Evans, Henry Tobit; *Rebecca Riots!*, David M. Gross, 2010

The Carmarthen Journal, Archifdy Caerfyrddin

Godwin, Fay & Toulson, Shirley; *The Drovers' Roads of Wales*, Wildwood House, Llundain, 1977

Jarman, Eldra & A.O.H.; *Y Sipsiwn Cymreig*, Gwasg Prifysgol Cymru, Caerdydd, 1979

Le Bas, Damian; *The Stopping Places – a Journey through Gypsy Britain*, Vintage, Llundain, 2018

Keet-Black, Janet; *Gypsies of Britain*, Shire Library, Rhydychen, 2018

Goodall, Peter J. R.; *The Black Flag over Carmarthen*, Gwasg Carreg Gwalch, Llanrwst, 2005

McDougall, Christopher; *Born to Run*, Profile Books, Llundain, 2009

Nofelau Hanes Cymru – y rhestr gyflawn

Straeon cyffrous a theimladwy wedi'u seilio ar ddigwyddiadau allweddol

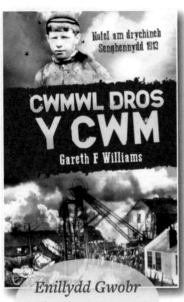

Enillydd Gwobr Tir na-nOg 2014

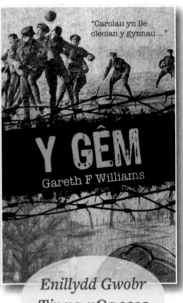

Enillydd Gwobr Tir na-nOg 2015

CWMWL DROS Y CWM
Gareth F. Williams

Nofel am drychineb Senghennydd 1913.

£5.99

Y GÊM
Gareth F. Williams

Dydd Nadolig 1914, yn ystod y Rhyfel Mawr.

£5.99

DARN BACH O BAPUR
Angharad Tomos

Nofel am frwydr teulu'r Beasleys dros y Gymraeg 1952-1960.

£5.99

Rhestr fer Gwobr Tir na-nOg 2015

PAENT!
Angharad Tomos

Cymru 1969 – Cymraeg ar arwyddion ffyrdd a'r Arwisgo yng Nghaernarfon.

£5.99

Rhestr fer Gwobr Tir na-nOg 2016

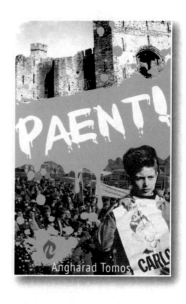

HENRIÉT Y SYFFRAJÉT
Angharad Tomos

"Dydw i ddim eisiau dweud y stori ..." Dyna eiriau annisgwyl Henriét, prif gymeriad y nofel hon am yr ymgyrch i ennill pleidlais i ferched ychydig dros gan mlynedd yn ôl.

£6.99

Y CASTELL SIWGR
Angharad Tomos

Dwy ferch ar ddau gyfandir. Un lord ag awch am elw.

Stori ddirdynnol am gaethferch, am forwyn, am long a chastell ac am ddioddefaint tu hwnt i ddychymyg.

Rhestr fer Gwobr Tir na-nOg 2021

£8.50

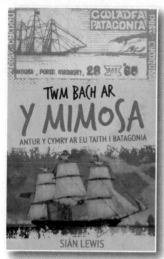

Nofel am antur y
Cymry ar eu taith i
Batagonia yn 1865.

£5.99

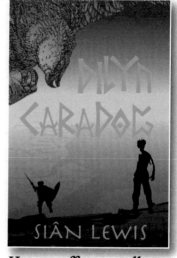

Hanes cyffrous un llanc
yn dilyn ei arwr o frwydr
i frwydr nes cyrraedd
Rhufain ei hun. £5.99

Y CI
A'R BRENIN
HYWEL
Siân Lewis

Teithiwch yn ôl i oes
Hywel Dda, sy'n
cyhoeddi ei gyfreithiau
ar gyfer Cymru. Mae
Gar y ci mewn helynt.
A fydd yn dianc heb
gosb o lys y brenin?

£5.95

GETHIN NYTH BRÂN
Gareth Evans

Yn dilyn parti Calan Gaeaf, mae bywyd Gethin (13 oed) yn troi ben i waered. Mae'n deffro mewn byd arall. A'r dyddiad: 1713.

£5.99

Rhestr fer Gwobr Tir na-nOg 2018

Y PIBGORN HUD
Gareth Evans

Mae Ina yn ferch anghyffredin iawn. Mae hi wedi goroesi'r pla, mae hi'n gallu trin cleddyf a siarad Lladin, ac mae ganddi'r gallu rhyfeddol i ganu'r pibgorn! Ond beth fydd ei hanes hi, a Bleiddyn y ci, wedi i Frythoniaid o'r gogledd a Saeson o'r gorllewin fygwth ei ffordd o fyw?

£8.50

YR ARGAE HAEARN
Myrddin ap Dafydd

Dewrder teulu yng Nghwm Gwendraeth Fach wrth frwydro i achub y cwm rhag cael ei foddi.

£5.99

Rhestr fer Gwobr Tir na-nOg 2017

MAE'R LLEUAD YN GOCH
Myrddin ap Dafydd

Tân yn yr Ysgol Fomio yn Llŷn a bomiau'n disgyn ar ddinas Gernika yng ngwlad y Basg – mae un teulu yng nghanol y cyfan.

£5.99

Enillydd Gwobr Tir na-nOg 2018

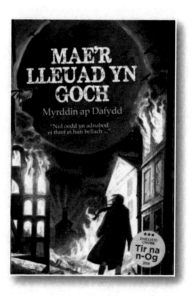

PREN A CHANSEN
Myrddin ap Dafydd

"y gansen gei di am ddweud gair yn Gymraeg ..."

Mae Bob yn dechrau yn Ysgol y Llan, ond tydi oes y Welsh Not ddim ar ben yn yr ysgol honno.

£6.99

Y GORON YN Y CHWAREL
Myrddin ap Dafydd

Diamwnt mwya'r byd mewn chwarel ym Mlaenau Ffestiniog ...

Nofel am ifaciwîs a symud trysorau o Lundain i ddiogelwch y chwareli adeg yr Ail Ryfel Byd.

£6.99

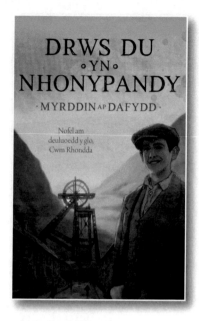

DRWS DU
YN NHONYPANDY
Myrddin ap Dafydd

Nofel am deuluoedd y glo, Cwm Rhondda, yn ystod cyfnod cythryblus 1910.

£7.99

GWENWYN
A GWASGOD
FELEN
Haf Llewelyn

Mae'n edrych yn dywyll ar yr efeilliaid Daniel a Dorothy a'r ddau wedi'u gadael yn amddifad. Ai'r Wyrcws yn y Bala fydd hi? Ond caiff Daniel waith yn siop yr Apothecari ...

£6.99

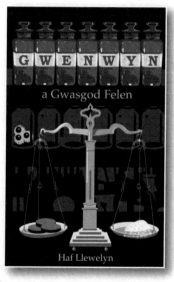

Rhestr fer Gwobr Tir na-nOg 2019